W9-CHB-616

CRIME & PRIVATE

анна
ДАНИЛОВА

ПРИГОВОРЕННЫЙ К ЖИЗНИ

МОСКВА
2014

УДК 821.161.1-312.4
ББК 84(2Рос=Рус)6-44
Д 18

Оформление серии *В. Щербакова*

Данилова, Анна Васильевна.

Д 18   Приговоренный к жизни : роман / Анна Данилова. — Москва : Эксмо, 2014. — 320 с. — (Crime & private).

ISBN 978-5-699-72647-9

К известному адвокату Елизавете Травиной обратилась за помощью мать пропавшей семнадцатилетней Лены Пирской. Отцу девушки, крупному бизнесмену, прислали отрубленный мизинец и требование о выкупе. А позже выяснилось: деньги забрала... сама похищенная Лена! По крайней мере, так заявила свидетельница. Помощница Лизы Глафира, приехавшая в поселок Вязовка поговорить с тетей Лены, увидела, как в дом ее одинокого соседа тайком привезли странный... гроб. Возможно, похоронный атрибут абсолютно не связан с историей похищения девушки. Но Глафира давно не верит в совпадения...

УДК 821.161.1-312.4
ББК 84(2Рос=Рус)6-44

ISBN 978-5-699-72647-9

1

— Тебе надо сделать всего лишь одно движение, и все! Соверши над собой усилие, и все то, что ты так ненавидел, что отравляло твою жизнь: опека родителей, отсутствие денег, унижение, с этим связанное, неприятие всего того абсурда, в котором ты живешь, — все разом закончится, и перед тобой откроется новая жизнь, совершенно другой мир! Говорю же — всего лишь одно усилие, движение руки!

— А если одного движения, как ты говоришь, не хватит? Не получится у меня?.. И что тогда?

— Сделаешь все так, как мы задумали. Это шанс, понимаешь? У нее богатые родители, очень богатые, и те деньги, что мы за нее запросим, для них — не деньги! А уж когда они увидят то, что мы им отправим, сердце их дрогнет, и они сразу раскошелятся, сразу!

— А если мы не успеем и все откроется? Ну просто — не успеем?

— Значит, не судьба. Пока не судьба. Потом появится другой шанс. А так... И мы вроде как ни в чем не виноваты, да и они потом будут счастливы... Всем будет только хорошо!

Ее голос звучал в его голове все то время, что он стоял над неподвижной, раскрашенной, как кукла, девушкой с кусачками в руке. И рука его дрожала так, как никогда не дрожала. Да и самого его колотило. В помещении было светло, нестерпимо светло, словно эти мощные лампы горели специально для того, чтобы он сделал задуманное.

Он знал, что она ничего не почувствует, но все равно при мысли, что сейчас вот холодные острые кусачки отрежут ее мизинец, ему становилось дурно. Он постоянно спрашивал себя: то, что он намеревается делать, преступление это или нет? Существует ли уголовная статья? Какой срок наказания?

Как отнесутся его родители, когда узнают, что он совершил? Хотя какая уже разница... Отношения с ними все равно испорчены. Отец никогда не понимал его, вот уже сколько лет смотрит на него с презрением! Считает его белоручкой, никчемным парнем, не способным даже гвоздя вбить. Да и в лицее он никогда способностями не блистал. Хотя, с другой стороны, не он один такой...

Отца тоже можно понять, он много работает и почти все заработанное тратит на семью: оплачивает его учебу в престижном лицее, выучил в университете сестру, теперь они с матерью строят загородный дом.

Мама тоже много работает под крылом отца: ведет все его финансовые дела, занимается документацией. Они приходят с работы вместе, но даже дома постоянно говорят о своих делах, о своей фирме, поставках, сроках, платежах...

Конечно, мама не отец, она просто любит его, Вадима, понимает, всегда защищает перед отцом и делает все, чтобы он, ее сын, был счастлив.

Но сам-то он должен хотя бы что-то сделать для своей семьи? Хорошо окончить лицей, поступить в университет, окончить его, чтобы потом устроиться на хорошую работу. Но когда еще все это будет? Не скоро. И все понимают это. Кроме отца. Строгий, даже жестокий, он одним своим взглядом уничтожает Вадима, знает, как причинить боль... И постоянно словно ждет от него чего-то, каких-то успехов, которые доказали бы, что он не напрасно вкладывает деньги в сына, что от него все же будет толк. Для Вадима же это было настоящей мукой, он по-настоящему страдал, видя, что каждый день лишь разочаровывает отца.

...Хрясть. Зажмурившись, он сильно, как только мог, сжал кусачки, почувствовав тающую твердость отрезаемого пальца, а потом короткий, сухой стук внизу. Палец упал на пол.

Он оглянулся, словно кто-то мог его увидеть за этим отвратительным занятием, быстро поднял палец и сунул к себе в карман. Затем спрятал в карман куртки кусачки и выбежал на улицу, где его и вырвало.

Вытерев платком рот, он отдышался, достал сигарету и закурил. Ну вот, собственно говоря, и все, главное сделано.

Он позвонил Миле:

— Все, теперь твоя очередь действовать.

— Умничка! Не переживай, все будет хорошо!

Анна Данилова

2

— Смотри — «Гелендваген» остановился напротив нас... Это, кажется, по нашу душу, — сказала Глафира, поднимаясь из-за своего рабочего стола, чтобы увидеть выходящую из машины женщину. — Вся в черном, — вздохнула она. — У нее, видимо, большие неприятности.

— Если ты заметила, Глаша, — сказала Лиза, не поднимая головы от документов, — то к нам, как правило, обращаются люди с очень большими проблемами. Трудно представить себе человека в такой ситуации в белом или розовом... Или вообще — в желтом!

— Вот именно — с очень большими проблемами. Потому что просто с проблемами они могут обратиться в любую районную юридическую консультацию. Ну, точно к нам...

Она замолчала, потому что дверь открылась и на пороге появилась высокая стройная женщина лет тридцати пяти в черном брючном костюме. Русые волосы ее были забраны в конский хвост. Половину лица скрывали темные очки, которые посетительница тотчас сняла, оказавшись в приемной адвокатской конторы «Травина &Кифер».

У нее был вид человека растерянного, нерешительного, хотя чувствовалось, что в другой ситуации она могла бы выглядеть совершенно по-другому. Лиза отложила в сторону бумаги и жестом пригласила посетительницу сесть в кресло напротив.

Поздоровавшись с Глафирой, она подошла к Лизе.

— Здравствуйте, Лиза, — сказала женщина, присев на краешек кресла. — Вижу, вы не узнали меня. Когда мы с вами встречались раньше, я была брюнеткой. Моя фамилия Пирская.

— Ольга? Извините! — воскликнула пораженная Лиза. — Действительно не узнала. И это при том, что у меня отличная память на лица. Надо же, как цвет волос может изменить человека! Рада вас видеть... Помнится, раньше мы встречались по делу одного вашего знакомого и вы выступали в роли свидетельницы.

— Да, Валентин попал тогда в неприятную историю. Его обвинили в убийстве родного племянника... Если бы не ваша помощь... Жалею, что мне тогда никто не сказал, что, помимо чисто адвокатской деятельности, вы занимаетесь еще и расследованиями, поисками людей... Если бы я знала, то пришла бы к вам еще неделю тому назад!

— Что случилось, Ольга?

По бледным щекам Ольги покатились слезы. Лиза отметила, что отсутствие косметики на лице этой молодой и ухоженной женщины свидетельствует о том, что ей явно не до себя, а воспаленные порозовевшие веки указывают на то, что глаза ее не просыхают от слез.

Она вдруг вспомнила, что года три тому назад кто-то сказал ей, что Пирская ушла от мужа и вышла замуж за молодого талантливого художника, которого сопровождает повсюду, где устраиваются его выставки. А это — Европа, Америка! Словом, Ольга Пирская живет на полную катушку, счастлива! К тому же у нее растет дочь от первого брака. Муж, Михаил Пирский, известный в городе чиновник, живет один, увлекается охотой. Вот такие скупые сведения об этой распавшейся семье.

— Лена пропала. Моя дочь. Неделю тому назад. Вот, — Ольга положила на стол несколько фотографий, с которых смотрела красивая темноволосая девушка с голубыми глазами. — Она учится в десятом классе. Вот просто пропала — и все! Ни записки не оставила, ничего!

— А вещи? Может, она куда-нибудь уехала? Вы проверяли ее вещи?

— Ох... — она шумно выдохнула, достала салфетку и промокнула мокрое от слез лицо. — Мне ужасно стыдно, но я не знаю, что пропало из ее гардероба. Вещей очень много, половина гардеробной — ее. Там столько всего! Будь зима, я поняла бы, какой шубы нет на вешалке, какой дубленки, куртки... Но сейчас май, у нее миллион джинсов, маек, блузок разных, юбок... И она каждый день меняет все это...

— Вы проверяли ее компьютер?

— Ноутбук? Да, конечно! Да, я забыла сказать! Я же заявила в полицию. Сразу же, в первый же вечер. Вернее, хотела заявить, но у меня заявление не приняли, сами понимаете, надо ждать три дня. Я вообще не понимаю, почему все так?! Человека надо искать по горячим следам, а они словно специально ждут эти три дня, чтобы тот, кто похитил ребенка ли, просто человека, успел поизмываться над своей жертвой... — Она всхлипнула, высморкалась. — Какой дурацкий закон! Меня вот интересует, а если бы у того, кто придумал этот закон, пропала дочь? Стал бы он спокойно дожидаться трое суток?

— Неделя... И что произошло за это время?

— В том-то и дело, что ничего! Ее не ищут! Просто делают вид, что ищут, а на самом деле никто даже не встретился с ее подругами. Я сама всех обошла. Поговорила, попыталась узнать, куда она могла пойти, с кем... И тоже все безрезультатно... Хотя, Лиза, должна вам признаться, что я сама во многом виновата... с этим своим замужеством, с этой круговертью, в которую оказалась втянута. Нас с Валей постоянно нет дома, а если мы даже и в России, то все равно — дел по горло... Он пишет картины в своей мастерской, я помогаю ему организовать выставки, устраиваю какие-то фуршеты, мне приходится бывать на тусовках... Получается, что Лена у меня как бы брошена... Но, с другой стороны, она, как мне казалось, живет очень даже хорошо, с комфортом. У нее всегда есть деньги, мы ей абсолютно ни в чем не отказываем. Если бы она хотела поехать куда-то с нами — пожалуйста! Париж, Милан, Мадрид! Другое дело, ей наша жизнь совсем не интересна.

— Вы с ней не ссорились?

— Ну, как сказать... — Ольга задумчиво потерла пальцем подбородок. — Мы постоянно с ней переругиваемся, но не зло, а так, перманентно и по-доброму... Мы любим друг друга. Просто, как мне кажется, она ревнует меня к Валентину. Еще скучает по отцу, считает, что я его предала.

— А как вы сами считаете?

— Это он меня предал. Нет, конечно, он мне никогда не изменял, но его никогда не было дома. Интересы других людей всегда были для него важнее.

— Ваш бывший муж — далеко не бедный человек...

— Ах, и вы о том же! — она нервно всплеснула руками. — Да, конечно, у него были деньги... и есть... И он был щедр ко мне. Купил мне квартиру, машину и все такое... Но я же родила ему дочь!

— Ольга, вы поймите, я задаю вам все эти вопросы не из праздного любопытства. Просто мне надо во всем разобраться, прежде чем решить, браться за поиски вашей дочери Лены или нет. Быть может, она просто ушла из дома. Вот вы говорите, что у Пирского тоже были деньги и он вам, как я поняла, тоже ни в чем не отказывал, так же, как и вы Лене... Однако вы же бросили его. Вам было некомфортно. Вам не хватало его внимания. А ведь вы взрослая женщина, которая могла бы понять его, просто войти в его положение... Он — известный политический деятель, чиновник высокого ранга... У него действительно много дел и обязательств. Причем не только перед людьми, но и перед собой.

— Вы знакомы с ним, — разочарованно протянула Ольга, с выражением какой-то брезгливости откидываясь на спинку кресла. — Вы случайно не друзья? Вы когда-нибудь сталкивались с ним?

— Я не в лесу живу, — уклончиво ответила Лиза, вспоминая, с каким жаром ее подруга-журналистка рассказывала ей о Пирском, о его реальных делах, оригинальных проектах, направленных на радикальные преобразования в системе образования, о его участии в крупных благотворительных акциях для детей-сирот, о его конкретной финансовой помощи в открытии лаборатории для молодых ученых-физиков университета.

— Хорошо, Лиза, вы извините меня... Да, я понимаю, что была плохой женой Пирскому, и, дай бог, ему повезет и он встретит хорошую, понимающую женщину. Но речь сейчас не обо мне!

— Вот именно! Попытайтесь вспомнить, что предшествовало исчезновению Лены. Может, был скандал, во время которого она сказала вам что-то очень важное, что беспокоило ее...

— Да ее беспокоит только одно — она не хочет жить с нами, она ненавидит Валентина! Считает его альфонсом. Она мне так и заявила. Но это же не так! Он же с успехом продает свои картины. Нет, конечно, существуют определенные трудности, и наши поездки с ним обходятся мне очень дорого, но как же не вкладывать деньги в очевидный талант?

— Ее отношения с Валентином... Как, кстати, его фамилия?

— Иванов, — сказала Ольга извиняющимся почему-то тоном. — Вот такая вот простая фамилия. Валентин Иванов. Быть может, сейчас эта фамилия вам ни о чем не говорит, но в Европе его уже знают. Я сама лично занимаюсь его рекламой.

Глафира, слушая Пирскую, поймала себя на том, что испытывает к ней неприязнь, что ее раздражает тот факт, что она больше говорит о своем новом муже, чем о пропавшей дочери.

— Лена хотела жить отдельно? И как вы к этому отнеслись?

— Я присматриваю для нее квартиру. Миша категорически против, он считает, что ей еще рано жить одной, что она совсем еще девочка! Он предложил ей, чтобы она переехала к нему, и Лена как будто бы даже согласилась, и вопрос остался открытым... Нет, безусловно, мы обязательно купим ей квартиру. Но только пусть сначала она найдется!

— Ольга, вы что-то скрываете...

— Да, мы поссорились, — наконец призналась она. — И крепко. Она назвала нас моральными уродами, ну, то есть нас с Валей... Я ответила ей... грубо, очень грубо... Сказала, что она с жиру бесится и все в таком духе. Но после этого она не вспылила, нет, не стала собирать вещи, знаете как это бывает у подростков... Она просто заперлась у себя в комнате. И в тот вечер никуда не ушла. Просто сидела за компьютером и играла в свои игры. У нее есть такие безобидные игры, какие-то сады-огороды, еще бродилки... Словом, все как обычно.

— В смысле?

— Понимаете, я не особо-то обратила на это внимание. Потому что подобные стычки между нами бывали часто. Мы с каждым днем отдалялись друг от друга... Говорю вам честно, вот как есть...

На следующий день я рано утром ушла... Так, постойте, это было пятого мая. Сегодня уже двенадцатое! Словом, пятого вечером я вернулась, и ее уже не было. В комнате ее все чисто прибрано, никаких следов сборов, если вы это имеете в виду... Все выглядело так, как обычно, словно она ушла в лицей. Да только там она в этот день не появлялась. Я подождала до часа ночи, потом позвонила Мише. Он сказал, что надо заявить в полицию. Мы встретились с ним и поехали в отделение. И вот там-то нам как раз и отказали. Я устроила истерику. Миша вел себя на редкость спокойно. Думаю, он надеялся, что Лена вернется. Он знал, что у нас не все ладится...

— Пирский что-нибудь предпринял?

— Ну, он подключил своих людей, к тому же у него большие связи в прокуратуре... Понимаете, он такой человек, ему проще попросить за кого-то чужого, чем за себя. И вот, когда Лена не появилась через сутки, начал бить тревогу. К нам приходили какие-то люди, снимали отпечатки пальцев. Ну, он предположил, что к Лене кто-то пришел, может, подруга, друг...

— Она общительный человек?

— Да, у нее много друзей. Хотя я лично считаю, что это не друзья, а так, приятели, одноклассники, друзья по переписке... Эти социальные сети, сами понимаете, как черная дыра! Да, вот еще что. Один человек по просьбе Миши взял ее компьютер, чтобы изучить его. Она переписывалась в основном с подружками. Еще с несколькими одноклассниками. Но любовных писем или чего-нибудь в этом духе мы не обнаружили.

Проверяли они и ее звонки. Миллион звонков, разговоров, эсэмэсок, она обменивалась с подружками фотографиями... Все обыкновенное, девчоночье, нормальное для ее возраста. Лена — очень позитивный и добрый человечек! Никогда никаких упаднических настроений, депрессии, неразделенной любви, ничего такого! «Привет — как дела? — трали-вали!» Ее интересы тоже обыкновенные: музыка, кино, книги... Ну и компьютерные игры, конечно, но это так, вскользь... Знаете, некоторые ее одноклассники просто увязли в этих играх, они играют онлайн, у них целые сообщества. Но это не про Лену. Она абсолютно здравый и интересный человек. Я бы даже сказала, с богатым духовным миром.

— Что говорят ее подруги?

— Ничего. Никто ничего не знает. У Лены нет парня, она ни в кого не влюблена. Никто не может предположить, где она, к примеру, могла бы заночевать. Родственников у нас, таких, где бы она могла, скажем, спрятаться, чтобы дать нам прочувствовать... Вы понимаете, да? Так вот, таких родственников тоже нет. Нет, конечно, у нее есть тетя. Родная тетя, сестра Пирского, ее зовут Ирина, правда, Лена зовет ее Ирена... Но это же взрослый человек, и если бы Лена решила напугать всех нас и спрятаться у нее, то Ира непременно сообщила бы Мише.

— Где она живет?

— Здесь, у нас, на Волжской... У нее большая квартира. Миша рано встал на ноги, купил себе жилье и оставил сестре родительскую квартиру. Родители у Миши ушли из жизни, когда они с сестрой заканчивали школу... У Иры не сложилась личная жизнь, но я не сказала бы, что она от этого потеряла... Ира — очень увлеченный человек. И талантливый, этого у нее не отнять. Миша купил ей дом в Вязовке, прямо на берегу Волги, помог со строительством оранжереи... Вот Ирина все свое время и проводит там. Еще ведет блог в Интернете, научилась зарабатывать, не выходя из дома... Я знаю, что сейчас она живет за городом.

Ольга вдруг запнулась. Оглянулась, встретилась взглядом с Глафирой. Смутилась.

— Что-то я отвлеклась от темы, да? — обратилась она к Глаше. — Просто я хотела, чтобы вы знали, с кем еще дружила... вернее, дружит Лена. Она просто обожает свою тетку, часто бывает у нее. Причем в любое время года. Но сейчас Лены там нет. Это точно.

— Случалось, что она сбегала из дома раньше?

— Не могу сказать, что вот прямо сбегала. Уходила, уезжала, и именно к Ирине. И та всегда звонила мне и ставила об этом в известность, чтобы мы не волновались. Но вот сейчас, повторяю, ее там нет, нет!!!

Раздался телефонный звонок, Ольга Пирская достала из сумочки телефон.

— Да... Да, Миша, я тебя слушаю! — Глаза ее бегали, стреляли то в Глашу, то в Лизу, а потом взгляд ее остановился на окне, оранжевые жалюзи которого пропускали яркий солнечный свет узкими полосками. — Нет, Миша... Нет...

Губы ее дрожали, а глаза выражали полный ужас!

— Только не это... — прошептала она. — Скажи, что мне все это снится... Я у Травиной, у адвокатши, ты знаешь...

Телефон выскользнул из ее рук, и она рухнула бы на пол, не успей Глафира подхватить ее. Лиза тоже вскочила, схватила трубку:

— Михаил Семенович?! Это Лиза Травина! Что случилось? Нашли вашу дочь?

Глаша, устроившись в кресле с бесчувственной Ольгой на коленях, не сводила глаз с Лизы.

— Это еще ничего не значит... Приезжайте. Поговорим. Однако я не настаиваю...

Она отключила телефон. Посмотрела на Глашу. Нахмурилась:

— Пирскому в офис принесли пакет. В нем — отрезанный палец, предположительно его дочери, Лены.

3

— Если бы ты только знал, Гриша, как я сожалею о том, что ты связался с этой женщиной! Я даже подумать боюсь, что станет со всеми нами, когда правда откроется.

— Успокойся, Машенька! — Григорий, ее муж, протянул свою руку над столом и погладил руку жены. — Все будет хорошо! В конце концов, она понимала, что так не может продолжаться вечно. Что рано или поздно произойдет что-то подобное и что ей придется отвечать! Причем не только перед мужем и собой, но и перед полицией!

— Вот! Я боялась произнести это вслух, но ты сам первый сказал. Полиция! А тебе не страшно? Ведь если в дело вмешается полиция, то могут арестовать и тебя!

— Нет, я не боюсь. Ты же понимаешь, что я — всего лишь нанятый работник и что я не несу ответственности за то, что делают мои хозяева. К тому же, насколько тебе известно, я делаю все, что в моих силах, чтобы как-то исправить положение, чтобы сделать все по справедливости, чтобы все шло своим чередом. Ты же знаешь, у нас уже и документы есть.

— Гриша... Господи, и куда мы вляпались?! Жили бы себе спокойно... Все деньги! И я, и ты, мы с тобой так прочно вошли в эту семью, можно сказать, пустили корни. Да и они считают нас своими близкими людьми. Другое дело — они не подозревают о том, что мы с тобой — муж и жена и что время от времени ведем такие вот разговоры...

Супруги сидели в кухне за столом и ужинали. Картофель, селедка с луком, черный хлеб.

— Знаешь, я там у них всякого перепробовала: и омары, и кальмары, и разные экзотические фрукты, и деликатесы всякие, трюфеля, к примеру, — вдруг улыбнулась, словно забыв на время о проблемах, рыжеволосая, с округлыми формами пятидесятилетняя Мария, блеснув веселыми глазами. — Но лучше картошки с селедкой еще ничего не придумали. Это на мой вкус!

— Ты же знаешь, у нас с тобой вкусы совпадают!

Григорий Брушко, интеллигентного вида худощавый, физически крепкий мужчина пятидесяти пяти лет, с густыми седыми волосами, аккуратно подстриженными и уложенными самой природой красивыми волнами над высоким лбом, с нежностью посмотрел на жену:

— Ты, Маша, постарайся не думать ни о чем плохом. Живи себе, радуйся жизни. Вот увидишь, все само собой образуется. И те, кто не считает себя сейчас виноватым, кто живет, даже не задумываясь о том, какую боль причиняет людям, они все равно потом все поймут.

— Нет, Гриша, мои — не поймут. Они живут я не скажу чтобы каждым днем, нет, но им действительно и в голову не приходит, что они, вместо того чтобы, как им кажется, делать людей счастливыми, открывать глаза на истину, на самом деле убивают многих психологически, наносят им смертельные раны. Знаешь, кого они пригласили на этот раз? Одну молодую женщину, которая успешно вышла замуж за какого-то там миллионера, родила ему детей и теперь живет себе счастливо и в ус, что называется, не дует. Больше того, эта молодая женщина увлекается ландшафтным дизайном, открыла свою контору. У нее появились первые клиенты. Так вот, на программу пришло письмо от ее сестры, явно завистницы или неудачницы, которая собирается, по моему мнению, разрушить ее жизнь! На передачу собираются пригласить человека из ее прошлого... Сутенера, представляешь?! То есть эта женщина была проституткой, чуть ли не вокзальной! И вот эту правду собираются выложить в эфир! То есть сначала мы увидим на экране молодую женщину, красивую, успешную. Потом появится ее сестра, которая скажет, что она дрянь последняя, раз не помогала своим родственникам, ну, то есть ей, сестре, что зазналась и все такое! И потом в студию пригласят этого сутенера. Понятное дело, что он уже не сутенер, у него свой бизнес, он живет где-то на море, в Сочи, кажется, у него там маленькая гостиница, словом, начал человек новую жизнь. Его пригласят для того, чтобы он рассказал, с чего начинал свой бизнес и все такое... Ну, намекнут, что во время эфира ему предстоит встреча с одним приятным человеком...

— Что, обманут? И его тоже?

— В том-то и дело! Причем этот человек понятия не имеет, что это за передача. Знает, что называется «Открой глаза!», и все! Не уверена, что он там, в Сочи, знает о том, что творят телевизионщики здесь, у нас... Понятное дело, ему пообещают заплатить за участие. Или же скажут, что он может воспользоваться эфирным временем и разрекламировать свою гостиницу...

— Но когда он увидит эту героиню, он же все поймет!

— Знаешь, сколько раз было такое, что приглашенные герои убегали, закрыв лицо от стыда! Скандал! Слезы, драки! И все это — ради рейтингов! Ради денег! А мораль — живи пристойно, не делай гадостей.. Вроде как идея-то неплохая! Но сколько судеб они рушат!

Маша вздохнула, встала, налила мужу чаю, поставила перед ним большую кружку.

— Я тебе так скажу, Гриша. В жизни почти каждого человека есть что скрывать. Редко встретишь безгрешного. Кто-то раскаивается в своих грехах и никогда больше не возвращается к ним, старается прожить жизнь новую, чистую, а кто-то уже не может остановиться... Может, о таких и следует делать передачу, чтобы открыть им глаза на очевидные, казалось бы, вещи: не укради, не убей, не обмани... Ах, да что я тебе говорю, ты и так отлично все понимаешь! И что бы мы с тобой сейчас ни говорили, как бы ни возмущались, мы ничего сделать уже не сможем. И знаешь почему?

— И почему же? — улыбнулся нежно Григорий жене.

— Да потому что мы с тобой — маленькие люди.

— Это тебе только так кажется, что мы маленькие. На самом же деле мы — настоящие.

— Да, конечно... Знаешь что, Гриша, я вот хоть человек и не особенно-то верующий, в церковь не хожу, посты не соблюдаю... Но все равно понимаю, что кто-то за нами оттуда, сверху, наблюдает и этот кто-то — сила, которая нами управляет, контролирует нас. Может, это и есть Бог. И тогда он не должен допустить зла...

— Эх, Машенька, если бы все было так же просто, как ты говоришь! К сожалению, нам трудно понять деяния Бога... И у меня к религии отношение тоже сложное. Когда заходит спор о том, как может Бог допустить зло, почему не останавливает его, я всегда вспоминаю Сомерсета Моэма. Не выходят у меня из головы его размышления по этому поводу. Знаешь, ведь он был очень набожным человеком. Но когда устроился в больницу работать и на его глазах от эпидемии стали умирать совсем маленькие дети, вот тогда он и спросил: а где же Бог? Куда он смотрит? Он что, не видит, что умирают ни в чем не повинные существа, ангелы? И разуверился в Боге... Стал атеистом. Может, я, конечно, что-то и путаю, но в памяти у меня всегда эта история.

— А может, Бог забрал этих малышей себе, в свое царство? В какое-то другое измерение? Переселил их в другой мир?

— Да ты у меня философ, Маша! Спасибо за ужин, за компанию!

— Гриша? А ты от меня ничего не скрываешь?

Анна Данилова

Мария подошла к мужу и заглянула ему в глаза:

— Ты какой-то не такой сегодня... Да и вчера тоже я заметила, что с тобой что-то не так... Нервничаешь, а когда смеешься, то смех у тебя неестественный.. Что случилось, Гриша?

В маленькой кухне стало очень тихо, если не считать детских голосов, доносившихся в открытое окно со двора, где мальчишки, несмотря на уже поздний, но теплый светлый майский вечер, играли в мяч.

— Гриша, — Маша обняла мужа за пояс, — что-то у меня тревожно на душе. Как он там?

— Да все в порядке, Машенька.

— Что вы с ним задумали?

— Ничего... Вернее, пока ничего. Но ты же и сама должна понимать, что так не может продолжаться вечно. Кое-что мы с ним придумали. Вернее, это он придумал...

— Да я же знаю, он умный! Он очень умный!

— Да нет, Маша, ты даже себе не представляешь, насколько он умный... — сказал Григорий странным голосом. — Я тебе потом все расскажу, потом... А сейчас пойдем отдохнем. Полежим перед телевизором, ты сделаешь мне массаж, а?

4

С бледного лица Михаила Пирского, буквально влетевшего в приемную, лился пот.

Серый костюм, белая рубашка, синий галстук, белые летние туфли. Пирский в свои сорок с небольшим выглядел очень молодо. Даже седина в коротко подстриженных волосах ему шла. Голубые глаза были воспалены и смотрели с тревогой.

Увидев Лизу, он на мгновение замер, словно вспоминая ее лицо, резко подошел и протянул ей руку, как если бы она была мужчиной:

— Здравствуйте, Елизавета Сергеевна.

Лизе было приятно, что он вспомнил единственный вечер, когда их знакомили. Это была большая городская рождественская елка, где Пирский и Лиза вместе с Дедом Морозом раздавали детям-сиротам, приехавшим на праздник из детских домов, подарки.

— Здравствуйте, Михаил Семенович. Проходите, пожалуйста. Сейчас приедет Мирошкин, думаю, вы с ним тоже знакомы по делу одного из ваших друзей... Как вы понимаете, в этом случае без официальных органов нам никак не обойтись. Понадобится экспертиза и все такое...

— Сергей? Да, хорошо... Я с ним знаком. Вот! — С этими словами Пирский протянул Лизе небольшой коричневый конверт из плотной бумаги. — Вот, это мне принесли и оставили у секретаря.

— Кто принес?

— Курьер. Вернее, моя секретарша сказала, что был курьер, просто обычный молодой человек, которого она видела первый раз.

— Уверена, что никакой это не курьер, а просто случайный человек, которому заплатили, чтобы он принес вам конверт.

Лиза тоже разволновалась, держа в руках зловещий конверт. Она знала, что там записка и палец похищенной Елены Пирской, совсем еще девочки.

Она достала записку и быстро пробежала ее взглядом:

«Ваша дочь находится у нас. Приготовьте 200 000 евро. Мы вам позвоним».

Это был лист офисной бумаги обычного формата, текст был отпечатан на принтере. Буквы — огромные, как если бы похитители хотели подчеркнуть всю важность послания.

Она раскрыла пошире конверт и, увидев палец, почувствовала, как волосы на ее голове зашевелились.

В эту минуту из комнаты отдыха, где находилась все это время Ольга Пирская, вышла Глафира, приложив палец к губам.

— Мне пришлось дать ей успокоительное, и она как-то сразу уснула.

— Бедолага! Она не спала все эти ночи! — На лице Пирского проявилась гримаса страдания. — Вы, наверное, думаете, что я ненавижу ее, да? Нет, это совсем не так. Я женился на Оле в свое время по любви и понимал, что она-то меня не любит. Но ее молодость, красота... Словом, мне было тогда все равно, любит она меня или нет. Вернее, нет, конечно, не так. Мне бы очень хотелось, чтобы она меня полюбила, я верил в это. Другое дело, что я сам почти ничего не сделал, чтобы это случилось. Я уделял ей слишком мало времени. И она отдалилась от меня окончательно.

Поэтому в том, что случилось, я виню в первую очередь себя. Сейчас же мне ее просто жаль. Связалась с человеком, который заставил ее поверить в его талант. Да, может, у него и есть талант, но не настолько большой, чтобы в него можно было вкладывать такие деньжищи! И главное, что он, этот Валентин, ее не ценит и, конечно, не любит! Даже несмотря на ее красоту! Я знаю, что у него есть другая девушка, тоже художница... Они учились вместе.

— А Ольга об этом знает?

— Нет, конечно, не знает! Если узнает, это ее просто доконает.

Пирский посмотрел на конверт и прикрыл ладонью лицо.

— Знаете, ловлю себя на мысли, что все это никак не связано с Леной. Отрубили палец девочке. Зачем? Сразу бы мне позвонили, сообщили свои условия, и я бы без пальца выплатил им эти деньги! Тем более что они у меня есть! Я уже заказал в банке, они будут у меня завтра!

— Они наверняка скажут вам завтра, чтобы вы не обращались в полицию. Это такие у них правила, у похитителей.

— Да знаю я эти правила! Сколько фильмов смотрел... Даже если не обращаться в полицию, где гарантии, что ее отпустят? Никаких. Но с помощью полиции есть шанс хотя бы схватить преступников!

Тут Пирский выругался и сам же испугался такого своего поступка. Стал озираться по сторонам, оценивая, кто еще, помимо Лизы и еще одной молодой женщины в красных брюках и белой блузке, мог его услышать.

— Извините, — он густо покраснел. — Не знаю, как вырвалось...

— Михаил Семенович, я должна вас познакомить со своей помощницей — Глафирой Кифер. Ей вы можете доверять так же, как и мне. Мы с ней не один год уже работаем вместе...

— Да-да, очень приятно, — Михаил поспешил сжать в своей ручище маленькую ладошку Глаши. — Скажите, что мне делать? Ведь если Лене отрубили палец, она истекает кровью... Она же может умереть!

Лиза отошла в сторону, подальше от Пирского, взглядом подозвала к себе Глафиру и вытряхнула из конверта на маленький кофейный столик на поднос палец.

Глафира сморщилась, как от боли.

— Женский, тонкий... Это мизинец. Я не эксперт, конечно, но сказала бы, что этот палец принадлежит юной девушке.

— Маникюр, розовый лак...

— Знаешь, вот если бы был зеленый, то можно было бы хотя бы спросить у матери, пользуется ли ее дочь таким радикальным цветом. Но розовый... Этот лак есть у каждой девушки.

— Узнаем, что нам скажут эксперты. Жива ли была девушка, когда ей отрубали палец...

— Знаешь, думаю, что его не отрубили... И не отрезали. Словно... откусили. Хотя можешь меня не слушать. Просто отрубить палец вообще трудно, нужно же еще попасть топором...

— Глаша!

Они разговаривали шепотом, чтобы их не мог слышать Пирский.

— И не отрезали, потому что отрезать палец у живого человека не так-то просто...

— Откусили, говоришь?

— Да, у моего отца были такие кусачки, которым он перекусывал провода... Может, кусачками? Р-р-раз — и готово!

— С тобой страшно разговаривать, Глаша, вот что я тебе скажу! — прошипела Лиза. — Михаил Семенович...

— Да можно просто Михаил, — отозвался убитый горем отец. — Лиза...

В эту минуту дверь распахнулась и вошел Сергей Мирошкин, молодой следователь прокуратуры, друг Лизы и Глафиры.

Лиза ввела его в курс дела.

— Ну и дела! — покачал он головой, рассматривая мертвый мизинец. — Вы должны поехать со мной в прокуратуру. Конверт я тоже забираю с собой. Быть может, на нем сохранились какие-то следы, хотя это вряд ли...

— Я уж не знаю, как вы будете действовать, но я прошу вас — пусть будет все тихо! Кто знает, может, у похитителя имеются связи там, у вас, и он все узнает, ну, о том, что я подключил к этому делу полицию... Вот тогда я точно не увижу свою дочь! — взмолился Пирский.

— Поедемте, я знаю, как мы будем действовать.

— Мы же со своей стороны займемся окружением Лены, — сказала им вслед Лиза. — Будем держать тебя в курсе. Сережа, пожалуйста, помоги нам раздобыть ноутбук Лены, свяжись с человеком, который занимался изучением ее виртуальной жизни. Может, у него есть координаты людей, с которыми Лена общалась.

Пирский с Мирошкиным уехали. Вскоре проснулась Ольга. Выпив горячего чаю, она сообщила Лизе все, что знала о подругах дочери: фамилии, номера телефонов и даже ники в Интернете.

После ее ухода Лиза вызвала Дениса Васильева, своего помощника:

— Приезжай, Денис, у нас новое дело.

Русоволосый сероглазый Денис, по сути, ученик Лизы, студент Академии права, поступивший туда не без помощи своей хозяйки, приехал на новенькой машине, счастливый, с сияющими глазами.

— Сегодня поляну накрою! — сообщил он с порога, не в силах скрыть своей радости. — Машина — зверь!

— Поздравляем! — сказали хором Лиза и Глафира.

— Подождал бы немного, хотя бы полгода, и не пришлось бы брать кредит, — заметила Лиза. — Но ты сам все решил, даже не посоветовался.

— Да стремно было ездить на старой битой машине. К тому же на ней невозможно было никого догнать! Сами же знаете!

— Ладно, остынь немного, Денис! Вот тебе задание. Разыщи близкую подругу Лены Пирской Наташу Каленову и поговори с ней. Лену, похоже, похитили...

Она рассказала ему о визите супругов Пирских, о страшном конверте.

— Постойте... Как это так? — удивился Денис, принимая из рук Глаши чашку с кофе. — А молоко?

— Молоко, молодой человек, закончилось, — Глафира ласково потрепала Дениса по светлой макушке.

— Подождите!.. — воскликнул эмоциональный Денис. — Вам разве не показалось странным, что сначала приходит письмо, да к тому же еще и с отрубленным пальцем, и это вместо того, чтобы, как и принято в таких случаях, я имею в виду элементарную логику, сначала все-таки попросить выкуп, а потом уже, если родители отказываются платить, отрубать палец... Почему сразу палец? Может, они договорились бы — Пирские и похитители, — и тогда бы все десять пальчиков девочки были сохранены.

— Вероятно, они сразу дали ему понять, что не шутят, что дело серьезное, чтобы у Пирского не было и мысли отказаться платить.

— И все равно странно, — поддержала Дениса Глафира. — Бред какой-то!

— Да я и сама не поняла, зачем понадобилось похитителям отрубать палец, — сказала Лиза. — Но мы имеем то, что имеем! Вероятно, во всех этих действиях имеется смысл, да только мы его пока не понимаем.

— А вы уверены, что это ее палец? — спросил Денис.

— Уверенными мы будем после того, как будет проведена экспертиза с использованием биологического материала девочки... Волоса с расчески, к примеру. Вот по ДНК и выяснят, ее это палец или нет.

— Ты думаешь, Пирский будет ждать? Да он уже наверняка сидит на мешке с деньгами и дожидается звонка!

— И правильно! Да любой отец бы так поступил, будь у него деньги.

— Вот именно! — Денис поднял указательный палец кверху. — Похититель знает Пирского, возможно, даже знаком с ним.

— Или с его дочерью. Уверена, что все те, с кем общалась Лена, прекрасно знали о благосостоянии ее отца, да и матери тоже. Известная в городе семья. Деньги водятся. Похитители могут быть откуда угодно: люди случайные, знакомые, родственники, соседи, даже друзья!

— Или вообще сама Лена решила встряхнуть своих родителей, заставить их вспомнить о своем существовании, элементарно обратить на себя внимание, — предположила Глафира. — У нас и такие случаи бывали, вы же сами помните дело Агаповых. Оксана сама все это придумала, чтобы родители не разводились.

— Но Пирские уже развелись.

— А что, если Лена действительно сама сбежала из дома, ее никто не похищал, и сделала она это не из-за родителей, которых сейчас уже поздно мирить, а из-за этого Валентина Иванова, художника и нового мужа Ольги? — предположил Денис.

Лиза отметила про себя, что Денис обладает удивительным качеством быстро вникать в тему, а уж версий в его голове всегда великое множество. Да и мозги у него всегда в рабочем состоянии, несмотря на время дня, физическое состояние, занятость и усталость.

— Что ты имеешь в виду?

— Может, он приставал к Лене?

— А вот к Валентину Иванову, великому живописцу, ты и отправишься, Глашенька. Попытайся понять, какие отношения существовали между отчимом и падчерицей. Может, он сам спрятал ее, чтобы выкачать из своей богатой жены деньги на очередную выставку? Или просто собирается сбежать от нее и ему нужны деньги, чтобы устроиться за границей. Там, где крутятся большие деньги, где есть люди, способные заплатить за своих близких, для мошенников просто рай. Да, запиши адрес сестры Пирского Ирины, или Ирены. И номер телефона. Надо бы с ней встретиться. Она может быть с племянницей в сговоре.

Лиза позвонила Сереже Мирошкину:

— Ты отправил палец в лабораторию? И что? Что они там сказали? Понятно... Да, я так и думала. Палец принадлежит молодой девушке... Это было видно невооруженным глазом. Никаких следов... Что-о? А вот это уже плохо. Отец знает? Ему сказали? Позвонили? И что? Ясно... Что ж, на это и был весь расчет. Куда он должен привезти деньги? Он должен положить пакет с деньгами в детскую коляску, которая будет стоять на лестничной площадке в подъезде, в его подъезде? Очень все странно... Но ведь за этой коляской очень легко проследить! Ладно, Сережа... Действуйте.

После разговора с Мирошкиным настроение Лизы испортилось. Глафира с Денисом смотрели на нее молча, догадываясь о главном.

— Палец был отрублен, когда девушка уже была мертва? — предположил Денис.

— Да, палец отрубили или отрезали уже у трупа.

— И Пирскому это не сказали?

— Да, не сказали. Просто надо дождаться экспертизы, прежде чем травмировать человека. А вдруг это все-таки палец не его дочери!?

— А когда он должен положить деньги в коляску?

— В пять часов вечера.

— Как раз тогда, когда начнется движение, люди будут возвращаться домой...

— Да, еще похититель, а это была женщина, но с измененным голосом, сказал, чтобы в подъезде не было посторонних. И тем более полиции.

— Послушайте, да это просто какой-то розыгрыш! Откуда похитителям известно, кто в подъезде посторонний, а кто нет? Туда может войти кто угодно!

— Значит, этот человек живет в этом доме или подъезде. Это как версия.

— Пирский настроен решительно. Он уже приготовил деньги. В пять часов он спустится и положит пакет в коляску.

— А что сказали про Лену?

— Что как только деньги будут у них в руках, так они сразу же ее отпустят.

— И никаких гарантий, конечно, — вздохнула Глафира. — А что Сережа?

— Дом будет окружен. С пяти часов коляска в подъезде будет под наблюдением. Схватить того, кто попытается взять деньги из коляски, будет просто.

— Не нравится мне все это, — сказал Денис. — Лиза, можно я туда пойду и проверю эту коляску? И подъезд... Эта кажущаяся простота на самом деле может оказаться настоящей ловушкой. Похитители и деньги заберут, и Лену не отпустят.

— Хорошо, поезжай. Только будь осторожен. Мне и самой все это кажется подозрительным. Даже дети придумали бы что-нибудь посложнее.

— Да тут дело в самом подъезде, — сказал Денис уже у порога. — Это как фокус... Надо быть просто очень внимательным! Возможно, с этой коляской из подъезда выйдет какая-нибудь мамочка с малышом... Может, при движении по улице к ней подбежит похититель и заберет пакет... Вариантов — много!

— Ладно, Денис, поезжай... Может, и правда тебе повезет больше, чем нашим коллегам. Звони, если что... И не забудь навестить подружку Лены!

Он ушел, Лиза села за компьютер. Набрала имя художника, отчима похищенной Лены. На экране появился портрет молодого человека. Приторная красота с налетом одухотворенности. Тонкие черты, большие темные глаза, густые длинные волосы.

— Он похож на девушку, ты не находишь, Глаша?

Глафира взглянула на экран:

— Он похож на бабника. Смотри, какая смазливая физиономия! Вполне допускаю, что между этим живописцем и пропавшей девочкой существовали отношения. Пусть не близкие, но все равно какие-то такие, из-за чего ей пришлось уйти из дома...

— Постой, Глаша, ты думаешь, что Лена была влюблена в Валентина?

— А почему бы и нет? — Лицо Глафиры стало розовым.

5

— А я к тебе на дымок! — открыла калитку и вошла в сад Ирены соседка, Татьяна.

Ирена Пирская, невысокая, хорошо сложенная женщина неопределенного возраста, в джинсах и мужской клетчатой рубашке, в глубине заросшего садовыми деревьями дворика у беседки жарила на гриле мясо. Услышав голос соседки, она сунула руку в карман, нащупала пачку сигарет и улыбнулась про себя: есть!

Соседка Татьяна, симпатичная молодая женщина, мама троих малышей, время от времени забегала к ней покурить, выпить чашку кофе и просто перевести дух. Семья с апреля до заморозков жила за городом, а уж хлопот по хозяйству было столько, что бедная Таня спала всего несколько часов в сутки.

Шорты, майка, на голове кепка, скрывающая чудесные волосы Татьяны, зеленые, как крыжовник, глаза.

— Ты себе, что ли, столько мяса жаришь?

— Конечно, нет! И тебя с твоими детишками угощу, и еще, может, кто придет на огонек...

— В смысле? Ты кого-нибудь ждешь?

— Не в этом дело... Мы же с тобой со вчерашнего вечера не виделись... Вот как попили чай вечером на террасе, ты ушла домой, а я еще долго сидела, воздухом дышала, потом почитала стихи, и такая, знаешь, меня благодать охватила, так хорошо на душе стало, что одна мысль, как змея, вползла в голову и все испортила...

— Не пугай, мы и так пуганые! — перекрестилась Татьяна. — Что случилось-то? Что за мысль?

— Мысль, что не может вот так хорошо быть, что обязательно после такого вот непонятного счастья произойдет что-то нехорошее... И точно. Позвонила Олечка, сноха моя, плачет в трубку, просто слезами заливается. Племянница-то моя так и не нашлась!

— Лена? Да, ты говорила, что она вроде как к подружке ушла...

— Да это я так думала. Понимаешь у них не все в порядке в семье. Родители развелись, Оля снова замуж вышла. Они же Леночку совсем забросили. Оля занимается своей личной жизнью вместо того, чтобы поговорить с девочкой, ведь у нее возраст-то какой, ей многое нужно объяснить, чтобы ошибок не наделала, понимаешь? Они мотаются по заграницам, устраивают свои дела, зарабатывают деньги, а девочка предоставлена самой себе! Миша, брат мой и отец Лены, тоже занятой человек. Он бы взял к себе Лену, так она сама не хочет. И вот сейчас она пропала. Исчезла. Оля говорит, что документы ее дома, что не похоже, чтобы она сама сбежала. Вещи вроде бы все на месте. Но рюкзачка, с которым она практически не расставалась, нет. А потому нет ни телефона, ни банковских карт, ни наличных, как ты понимаешь. То есть она вполне могла сбежать и с одним рюкзаком, или ее похитили, как считает Миша. Рассказал мне по телефону совершенно бредовую историю о том, что прислали ее отрубленный палец!

— Палец? И ты говоришь об этом так спокойно?

— Ну, подумай сама: если бы ты похитила человека, то что стала бы делать, чтобы получить деньги?

— Ну... Позвонила бы, попросила выкуп. Назначила бы время и место передачи денег. Предупредила бы, чтобы в полицию не обращались, если хотят дочку живой увидеть. Ну все как всегда.

— Правильно! Однако «наши» похитители сперва отправили Мише конверт с якобы ее отрубленным пальцем и только потом назвали сумму... Я понимаю Мишу, он совсем голову потерял, переживает сильно, боится, что Лена истекает кровью, что умрет. Я ему говорю: включи мозги, Миша! Не ее это палец! С чего бы это им рубить ей палец?!

— Ирена, но ведь дело-то серьезное... Вот если бы кому из моих ребят отрубили палец, я бы все деньги выложила, квартиры бы все продала, сама бы себя продала, только чтобы волос с их головы не упал!

— Вот именно, — вздохнула Ирена, задумчиво глядя на раскаленные угли. — На это весь их расчет! Похитители играют на родительских чувствах, а потому уверены, что им дадут деньги. Вот помяни мое слово — не ее это палец. И никто ее не похищал. Глупости все это! Я знаю свою племянницу, у нее непростой характер, а еще она много страдает... Она наверняка сама ушла. Чтобы пожить одной, подумать, как ей жить дальше. Уверена, что она скоро объявится.

— Но где она может быть?

— Не у подружек, я думаю. Иначе ее бы давно уже вычислили. Думаю, села на поезд и поехала куда-нибудь в деревню. Сняла комнату у какой-нибудь бабушки и отсыпается. — Ирена вдруг улыбнулась. — Да потому что я сама такая в молодости была! Поссорилась как-то с родителями, в Каменку укатила, к бабушке одной своей подружки. Мы там пили парное молоко, купались в речке, целовались с местными парнями, рыбу ловили... А родители сходили с ума, искали меня...

— И сколько времени ее уже нет дома?

— Неделя прошла. — Ирена поворошила угли. Аромат жареной свинины смешивался с благоуханием первых майских роз, пышные кусты которых росли рядом с беседкой.

— Она звонила тебе? — тихо спросила Татьяна, облизывая пересохшие губы. — Ты знаешь, где она?

— Конечно, нет! Вот, жду гостей из прокуратуры или полиции, я так толком и не поняла.. Какая-то женщина приедет, чтобы задать мне вопросы. Сказала — помощник адвоката. Да только при чем здесь адвокат? Или прикатит целая компания — и прокурорские, и полиция, и адвокат...

— Ты же знаешь, где она? Я же чувствую, что знаешь! Если бы не знала, то не была бы такой спокойной. Ты же любишь свою племянницу.

— Нет, я не знаю, где она, честно, — сказала Ирена. — Но сердце подсказывает мне, что с ней все в порядке. Пережидает где-то время, возможно, ей просто хочется побыть одной... Ну вот, все готово! Главное — не пересушить мясо! Постой минутку... Я сейчас принесу тарелки.

Ирена ушла в дом и вернулась с тарелками, вилками и хлебом.

— Присаживайся, — она пригласила соседку в круглую беседку, в центре которой стоял овальный стол, окруженный плетеными креслами. — Давай поедим... С пылу с жару!

Она принесла раскаленную решетку, выложила дымящееся мясо на блюдо.

— Угощайся! Как там твои мальчишки?

— Уложила... У тебя сигаретки не найдется?

— Конечно, найдется!

...Таня ушла, Ирена сложила оставшееся мясо в контейнер, вышла из дома и, заперев калитку, быстрым шагом направилась на окраину Вязовки, к садам. Перешла утопающий в зелени ив мост через пересохшее русло реки, свернула вправо, где перед ней открылся вид на зеленые поля и дорогу, ведущую к небольшому хвойному лесу.

Она почти бежала, не оглядываясь, пока не вошла в прохладу леса, прошла еще немного и вышла к густым зарослям ив, за которыми увидела прямо перед собой высокую бетонную ограду с массивными черными воротами и железной дверью, встроенной в бетонную стену. Там, за оградой, она знала, был дом. Большой, хоть и одноэтажный, словно специально построенный таким, чтобы его не видно было из-за забора.

Ирена позвонила условными короткими сигналами и замерла. Вскоре послышался звук шагов, железная дверь открылась.

— Я мясо принесла, — сказала она мужчине, который появился перед ней. Средних лет, с шапкой серебристых волнистых волос. На нем был рабочий комбинезон, испачканный землей. — Оно еще теплое.

— Спасибо, Ирена, — улыбнулся мужчина.

— А ты все в саду работаешь?

— Мне вчера привезли новый Дэвид Остин, три штуки! Там внутри посылки был каталог... Посмотришь, если тебе что-нибудь понравится, я тебе тоже закажу. Ты чего сегодня такая нерешительная? Заходи! Надеюсь, ничего не случилось? У тебя встревоженный вид.

— Нет-нет, все в порядке. Просто ко мне должны сейчас приехать. Через полчаса. У меня племянница пропала, ее все ищут... Мой брат поднял на уши весь город, между тем я считаю, что ничего с ней не произошло, что она просто захотела немного побыть одна, заодно встряхнуть родителей, которые не обращают на нее внимания. Сейчас вот и ко мне приедут, будут задавать какие-то вопросы.

— Уверен, с ней все в порядке, — сказал мужчина. — Может, тебе требуется моя помощь?

— Я позвоню тебе, когда все уедут, и расскажу. Уж не знаю почему, но на душе у меня почему-то спокойно. Обычно я чувствую приближение беды, а сейчас — нет.

— Да все нормально будет! Хорошо, я буду ждать твоего звонка. Вечером поговорим.

— Спасибо, Гриша. Ну все, я пойду?

Она так же стремительно покинула лес, а когда шла по мосту, то навстречу ей, с электрички, шла целая группа женщин с пустыми корзинами и ведрами — дачники.

Она шла и думала о Григории.

Они познакомились два года тому назад, совершенно случайно. Просто вместе покупали молоко. Открылась калитка, и она увидела мужчину спортивного телосложения, которому можно было из-за необычайно густых, хоть и седых волос дать и тридцать, и все пятьдесят. Некоторые люди седеют очень рано.

Он купил у Марины, местной молочницы, два литра молока и ушел.

— Кто это? — спросила Ирена у Марины. — Дачник?

— Нет, это не дачник. Это сторож. Он уже много лет живет, охраняет дом на отшибе. Приятный, вежливый такой мужчина. Но ни с кем не общается, живет как бирюк.

Второй раз Ирена встретила его возле аптеки. Мужчина, которого она сразу же узнала, стоял, скорчившись перед запертыми дверями аптеки, и стонал от боли. Сказал, что у него снова воспалился желчный пузырь, что боли просто адские, что до города он не доедет. И тогда Ирена предложила ему, на свой страх и риск, сделать укол обезболивающего, добавив при этом, что камни в желчном пузыре все равно придется удалять, что операция неизбежна.

Он был на своей машине, они быстро доехали до дома Ирены, где она сделала ему укол, потом он отлежался, сказал, что ему уже лучше. Она предложила ему чаю, но он отказался.

Потом встретила Григория в магазине, где тот покупал хлеб. Они поздоровались уже как друзья, и теперь уже он пригласил ее в дом, сказал, что у него есть копченая рыба, сам закоптил. Ирена согласилась. Ей было любопытно взглянуть на дом, который в течение многих лет охранял Григорий. Понять, что же там такого ценного, что хозяева платят ему в течение такого долгого времени.

Дом на самом деле оказался обыкновенным, одноэтажным, но с большим количеством комнат и уютным. Больше всего ей понравилась просторная кухня, оснащенная всем необходимым.

Григорий угостил ее не только копченой рыбой собственного изготовления, но и накормил обедом. Оказалось, что он хорошо готовит. На вопрос, зачем хозяевам понадобилось охранять дом, он, казалось, не знал, что и ответить.

— Думаю, что хозяйка боится, что его разграбят или подожгут, — сказал он. — Но я, как вы понимаете, никогда не стал бы ее отговаривать содержать этот дом или охранять, ведь это мой заработок. К тому же я ее где-то понимаю. Она — деловая женщина, много работает, зарабатывает деньги, и ей, как и любому человеку, время от времени требуется отдых, спрятаться вот в таком вот тихом и теплом доме, чтобы набраться сил. А зачем же еще деньги, как не для того, чтобы создать себе такой вот незамысловатый комфорт? Как видите, здесь нет ничего особенного, никакой роскоши, дом простой и очень удобный.

— А вы, у вас есть семья?

— Да, конечно. Я женат, у меня очень хорошая и понимающая жена. В моем возрасте трудно найти хорошую работу, а здесь у меня не так много обязанностей, а платят хорошо.

— Но почему же вы тогда не перевезете сюда свою жену?

— Да потому, что это не наш дом, и я здесь только работаю. Сторожу, топлю, слежу, чтобы все было в порядке. У нас с женой есть квартира в городе, и только там я чувствую себя по-настоящему дома.

— Но выходные-то у вас есть?

— Конечно! К тому же я всегда, в любое время могу спокойно поехать в город, домой, к жене. Я совершенно свободен, понимаете? Да и с хозяйкой мне повезло. Она спокойная и очень добрая, понимающая женщина.

Так, случайно познакомившись, они стали изредка перезваниваться, видеться, помогать друг другу. Григорий несколько раз бывал у Ирены, ремонтировал ей электропроводку, и она кормила его ужином. Ирена тоже бывала в доме Григория, подсказывала ему что-то по хозяйству, угощала его пирогами. Помимо обыкновенной человеческой симпатии у них было еще нечто общее, о чем они могли говорить подолгу и со страстью: цветы! Григорий был начинающим садоводом и большей частью цветы заказывал в магазинах. Ирена же научила его выращивать «родные» цветы — из семян, корешков, рассады, листика.

Визиты и звонки между ними прекращались, когда к Ирене приезжала Лена, племянница: сложно было бы ей, совсем юной и романтичной особе, объяснить, что никакого романа между Иреной и Григорием нет и быть не может. Что они просто друзья. Да и Григория не хотелось ставить в неловкое положение.

...Ирена еще издали увидела большую красивую машину рядом со своим домом. И сердце, до этого спокойное, вдруг захлестнула волна тревоги. Она вдруг отчетливо вспомнила, что сказала ей женщина по телефону: «Я адвокат, мне надо поговорить с вами о вашей пропавшей племяннице...»

Почему адвокат?

Ирена подошла к машине и увидела сидящую за рулем молодую женщину. Та, в свою очередь, увидев ее, поспешила выйти из машины.

Элегантная, ухоженная женщина совершенно не походила на представителя адвокатской братии, скорее — на изнеженную домохозяйку.

— Вы Ирена? — спросила гостья, улыбаясь, словно тем самым желая расположить Ирену к себе.

— Да, это я. А вы, стало быть, адвокат?

— Да, меня зовут Елизавета Сергеевна Травина. Но можно просто Лиза. Нам надо поговорить, Ирена.

— Хорошо, проходите.

— Какая у вас тут красота! Сколько роз! И такой повсюду порядок!

— В беседке поговорим или хотите пройти в дом?

— Конечно, в беседке!

— Может, чаю? С травами?

— С удовольствием!

Нет, не похожа она была на официальное лицо. Зачем она приехала? Почему адвокат? Почему?

Ирена разволновалась. Принесла чай, мед, печенье.

Солнце проникало в беседку через резную деревянную решетку, которая была увита мелкими розовыми розами. Ирена вдруг поймала себя на том, что это хорошо, что беседовать они будут все-таки на ее территории, а не в казенных стенах, куда ее могли бы пригласить. Хотя откуда все эти мысли? И почему в груди стало так холодно, словно она проглотила кусочек льда?

— Я понимаю, вы недоумеваете, зачем я приехала к вам. Казалось бы, адвокат... Но дело все в том, что, помимо адвокатской деятельности, я занимаюсь еще и другими вещами, в частности розыском.

Ирена покачала головой, показывая, что понимает цель ее визита: ищут Лену!

— Ирена, ваша племянница, Лена, пропала. Ваш брат, Михаил Пирский, сходит с ума, разыскивая ее, в то время как Лена, судя по сигналам, которые издает ее мобильный телефон, находится здесь! У вас!

— У меня? Ничего подобного! — Ирену моментально бросило в жар.

— Послушайте, я не знаю, какие отношения связывают вас с вашим братом, но...

— Ладно, я расскажу, раз уж все так крепко закрутилось, завертелось и мой брат прибегнул к вашей помощи. Да, действительно, Лена была у меня. Она умная девочка и отлично понимала, что родители будут ее искать, поэтому оставила свой телефон здесь. Мы же все теперь грамотные, фильмов насмотрелись, знаем, что по телефону можно вычислить местоположение человека. Так вот, она на самом деле сбежала из дома, ушла и не хотела, чтобы ее в ближайшее время нашли. Если вы хотя бы немного знаете, что это за семья... Вернее, у нее нет семьи. Родители живут каждый своей жизнью и совершенно ею не занимаются. Вот она и решила их проучить. Может, с моей стороны было жестоко вот так замалчивать это, но им обоим, Мише и Ольге, нужна была эта встряска, чтобы они вспомнили о существовании дочери, что помимо денег, которые они ей дают, ей нужны их любовь, внимание. Да что там, вы и сами все отлично понимаете! Весь город знает о романе Ольги с этим художником... Да ладно бы просто роман, так она же вышла за него замуж! А дочь совсем забросила! А у нее такой возраст, сами понимаете, трудный...

— Где Лена?

— Я не знаю, где она, но уверена в том, что она в полной безопасности. Предполагаю, что она поселилась на время в каком-нибудь пансионате... Или у подруги. А может, в какой-нибудь деревне... — Ирена вспомнила свои девичьи отчаянные путешествия.

— Прошла целая неделя, как ее нет! Вам не кажется, что ее отсутствие сильно затянулось?

— Значит, скоро объявится.

— Ирена, думаю, вы не в курсе... Вашему брату прислали отрубленный палец, предположительно вашей племянницы!

Ирену как током ударило.

— Палец? Какой еще палец?

— Мы точно пока еще не знаем, ее ли это палец, но объявились похитители, которые требуют с Михаила огромную сумму денег!

— Глупости! Это просто чья-то идиотская шутка! Но только не Ленина! Лена бы так не стала шутить... Чушь! Палец?!

— Михаил намерен заплатить двести тысяч евро, чтобы только вернуть Лену.

— Ужас! Я ему сейчас же позвоню и скажу, чтобы он ни в коем случае этого не делал!

— Вы, конечно, вправе это сделать, но не думаю, что он вас послушает. Он настроен крайне решительно.

И Лиза рассказала ей подробности, связанные с выкупом.

— Ну, точно глупость! В детскую коляску?

— Но палец-то реальный! Мы ждем результатов экспертизы, чтобы выяснить, действительно ли этот палец принадлежит вашей племяннице, но это не так быстро делается... А времени у вашего брата мало. Он собрал деньги и намерен завтра положить их в эту коляску!

— И что же делать?

— Вот уж не знаю... Постарайтесь вспомнить, что вам говорила Лена. Куда она собирается? Был ли у нее еще телефон?

— Не знаю...

— Вы ей не давали свой телефон?

— Конечно, нет! Да она у меня и не просила! Боже, что же это такое получается?

— А что, если она на самом деле решила уйти из дома, но до того места, куда она собиралась, она не добралась, а тот, кто знал о том, что она ушла из дома, решил сыграть на этом и похитил ее?

— Я сон вижу или... Господи, что же делать? Нет, она ничего конкретного мне не говорила. Я на самом деле не знаю, где она! Я должна срочно поехать к Мише. Прямо сейчас! Что же я натворила?! Я ведь хотела как лучше!

— Они, Михаил и Ольга, звонили вам, спрашивали про Лену?

— Да, но это было давно, дней шесть тому назад. Я сказала им, что не знаю, где она. И это правда! Я же действительно не знаю, где она!

— А вам не показалось странным, что племянница не оставила вам свои координаты, даже номера телефона, возможно, запасного, поскольку современный человек, а уж тем более девушка, не может обойтись без телефона. Если предположить, как вы говорите, что она могла прятаться где-нибудь в деревне или пансионате, то тем более у нее должен быть телефон. К тому же у нее наверняка есть подруги, которые в курсе ее перемещений... Вернее, в курсе всей ее жизни, ее отношений с родителями.

— Конечно, у нее есть подружки, она же нормальная, общительная девочка. Другое дело, что я с ними не знакома. Лена всегда приезжала ко мне одна.

— А что она у вас тут делала? Как проводила время?

— Мы с ней откровенно бездельничали, отдыхали, я пекла пироги, мы смотрели фильмы по Интернету...

— У вас есть компьютер?

— Да, конечно, и не один! По сути, я зарабатываю на хлеб в Интернете, веду свой блог и все такое... Я цветовод, кроме того, увлекаюсь кулинарией, пишу статьи, занимаюсь рекламой и продвижениями других сайтов за деньги. Думаю, вы в курсе, как можно зарабатывать деньги, не выходя из дома.

— А у Лены есть ноутбук?

— Думаю, что у Лены есть все, что нужно, уж она-то никогда и ни в чем не нуждалась, да только ко мне она приезжала без ноутбука, потому что у меня своих целых три! Зачем ей таскаться со своим?

— Она «чатилась» ночами в социальных сетях? Вы не знаете?

— О нет, она считает, что это пустая трата времени. Мы с ней очень любим кино, и ночами она смотрела фильмы. Мы уходим каждая в свою комнату, и я знаю, что она еще долго не будет спать, будет смотреть кино или слушать музыку. Еще ее интересовали, как и каждую девушку, ролики с прическами, макияжем, ну и все такое, женское...

— У нее есть молодой человек?

— Думаю, что нет. Знаю, что она изредка перезванивалась с подружками, говорила с ними о том, где встретиться, в каком, к примеру, кафе. Обсуждали какие-то свои школьные дела.

— Она не рассказывала, как у нее дела в школе, вернее в лицее?

— Она прекрасно учится, без напряжения, ей учеба вообще дается легко. Она очень способный и даже талантливый, я бы сказала, ребенок. У нее никогда не было проблем с учебой, можете спросить у ее бестолковых родителей. Да им просто повезло с ней! Так что, Лиза, вы считаете, что Михаила не надо останавливать в его порыве расстаться со своими деньгами? Какая там, вы говорите, сумма?

— Двести тысяч евро. Не такая уж и маленькая. Но передача денег будет происходить под контролем, как вы понимаете. Кто же это позволит нажиться на горе родителей? К тому же этот способ передачи, как вы и сами заметили, заставляет задуматься о возрасте так называемых похитителей...

— Значит, и вы тоже предполагаете, что это розыгрыш?

— Не знаю... В моей практике шуток на эту тему, к сожалению, не было. Всегда все было серьезно и даже трагично, извините...

— Да, конечно, я тоже понимаю Мишу. И хотя это действительно большие деньги, у Миши они есть, к счастью... Господи, что теперь со мной будет?

— Вы о чем?

— Пожалуйста, не говорите ему о том, что Лена была у меня, что я знала, что она сбежала из дома, знала, что она в безопасности, и не сообщила брату. Он меня не простит. Как и Ольга. Вероятно, я была слишком жестока, желая подыграть Лене и наказать родителей!

— Да не переживайте вы так о ваших отношениях с братом, я ему, конечно же, ничего не скажу. Главное для нас всех сейчас — это отыскать Лену! Вы сказали, она оставила у вас свой телефон?

— Да, я сейчас вам его принесу.

Ирена, войдя в дом, почувствовала легкое головокружение.

«Что же я наделала? Как могла? Вроде взрослый человек...» — бормотала она про себя, входя в комнату, которую облюбовала для себя Лена, когда гостила в Вязовке. Диван, покрытый клетчатым пледом, письменный стол, красные занавески, пальма в углу в большом керамическом горшке. Ирена отметила про себя, что надо бы помыть растение, привести в порядок.

Телефон Лены лежал на столе. Разряженный. Она отнесла его Лизе.

Определенно, эта молодая адвокатша знает свое дело. У нее такие умные глаза, а когда она смотрит, то, кажется, прожигает насквозь душу и сердце. Вероятно, она осуждает Ирену за ее легкомыслие и жестокость. И ведь она права! Ну почему Ирена не спросила номер запасного телефона Лены, ведь он наверняка существует!

Отпустила девочку, ничего толком не узнав, поддавшись, как и Лена, порыву, разозлившись на Ольгу, которая только и знает, что откупается от дочери и всю себя отдает этому парню. И это она еще не знает, что у Валентина есть любовница. Ирене позвонила одна знакомая и рассказала об этом.

И по-хорошему надо бы предупредить Ольгу, открыть ей глаза на этого «живописца»! Да только кто знает, каких ждать последствий? Она женщина эмоциональная, живет страстями, измена может вызвать в ней всплеск самых разных чувств, главным из которых будет ненависть к Валентину. А что, если она его убьет? Ударит чем-нибудь тяжелым по голове в порыве чувств? Или подожжет его мастерскую?! Или сделает что-нибудь с его молоденькой любовницей?!

Ирена вдруг поймала себя на том, что мысли, не такие уж и важные в этот момент, наслаиваются одна на другую, словно стремясь отвлечь ее от главного: с Леной беда! И надо что-то предпринимать, как-то действовать!

— Думаю, мне надо поехать в город, встретиться с Мишей, повиниться перед ним, все рассказать... Может, мне тоже принять участие во всем этом, — Ирена обвела руками пространство вокруг себя. — Я имею в виду операцию по задержанию похитителей? Ну, там ловля на живца... Господи, что я несу?!

— Знаете, вы правы. Вам действительно нужно поехать к Михаилу хотя бы для того, чтобы поддержать его. А уж расскажете ли вы ему правду о Лене или нет, вам решать.

В этот момент Лизе позвонили. Она слушала, глядя невидящим взглядом на Ирену. Тонкие брови ее хмурились, уголки губ опустились.

— Плохо, Сережа, — услышала Ирена. — Очень плохо. Казалось бы, обыкновенный, типовой, я бы даже сказала, подъезд! Откуда взялась вторая коляска? Хорошо, я выезжаю.

Она отключила телефон, посмотрела на Ирену:

— Похитители назначили время, ваш брат пошел и положил пакет с деньгами в детскую коляску, за которой, конечно же, велось наблюдение... Потом вышла женщина, положила ребенка в коляску и вышла с ней на улицу. За ней следили. Она приехала в небольшой сквер позади дома, села на скамейку, достала книгу и принялась ее читать. Ребенок спал в коляске. Опустим подробности... В коляске денег уже не было! И женщину обыскали, и ребенка! Все были в шоке, женщина — в первую очередь.

— Как это? Куда же делись деньги?

— Коляску подменили... На первом этаже два дня тому назад сдали квартиру какому-то молодому человеку. Думаю, что, пока наши люди следили за подъездом, он просто-напросто открыл дверь, вкатил к себе коляску с деньгами, а пустую, точно такую же, выставил на лестничную площадку. Или проделал какой-нибудь еще фокус с коляской.

— Но почему же не следили за коляской?

— Вот так следили!

— И что же? Может, Лена объявится? Может, теперь ее отпустят?

— Никто ничего не знает. Вы едете в город? Собирайтесь!

— Я на своей машине...

Ирена чуть не плакала. До нее начал доходить весь ужас создавшегося положения. Отрубленный палец! Да это же зверство какое-то!!!

Она проводила Лизу до ворот и, когда ее машина отъехала, быстро вернулась в дом, переоделась. Уже на пороге решила поделиться своими переживаниями с Григорием:

— Гриша? Это я... Послушай, у меня племянница пропала...

И она, расплакавшись, рассказала ему о своей беде.

6

— Ну что, что он тебе сказал, этот проклятый Цилевич? Снова завел свою старую песню о том, что нам с тобой надо сделать одно шоу вместо двух и, конечно же, оно должно называться «Скелет в шкафу»?! Да, может быть, когда-то это и было хорошее название, но сейчас оно уже навязло на зубах...

— Саша, успокойся, прошу тебя!

Инга Туманова, жена известного тележурналиста Александра Нечаева, автора проекта «Открой глаза», и тоже звезда местного экрана и телеведущая своего авторского шоу «Скелет в шкафу», высокая эффектная блондинка, в шелковом зеленом халате нараспашку и шлепанцах бегала по огромной квартире за мужем и пыталась его успокоить:

— Саша, да остановись же ты, поскользнешься на этом паркете, будь он неладен... Помнишь, три года тому назад тетя Тома упала у нас в гостиной, сломала ногу? Остановись, да стой ты, истеричка! — крикнула она и, поймав его уже у окна, с силой схватила за руку и попыталась удержать. — Отдышись, успокойся... нервы твои уже ни к черту!

Нечаев, высокий крепкий темноволосый мужчина в черном махровом халате, схватил руки жены в свои и с силой сжал. Несколько мгновений смотрел ей прямо в глаза, и от его взгляда Инга даже зажмурилась.

— Ты дура, Инга, понимаешь это или нет? Как можно было завалить такое шоу? Что ты сказала этой Ларисе Тунцовой? Что-о-о??? Как заманила на свой проект? Денег тупо пообещала? И это ей, жене олигарха?

— Послушай, Саша, ты же сам меня учил... — Она вырвалась из цепких рук мужа и, морщась от боли, стала потирать запястья. — Что главное в нашем деле — чтобы эти люди пришли, любой ценой заставить их прийти, заманить, хоть деньгами, хоть придумать что-то фантастическое. Лишь бы они поверили и оказались в студии!

— Послушай, Инга, но мозги-то у тебя есть? Разве ты не понимаешь, что когда связываешься с олигархами или просто очень богатыми людьми, то надо быть все же осторожной! Ты что-нибудь знала об этом Тунцове, кроме того, что он муж Ларисы Сметаниной?

— Ну так, в общих чертах, что он богат, что у него серьезная строительная фирма, что они построили в Подмосковье целый город!

— А то, что этот Тунцов на прошлой неделе принимал участие в шоу на центральном российском канале, куда его пригласили как человека, построившего на свои деньги онкологический центр для детей, об этом ты что-нибудь слышала?

— Нет, не слышала... — Инга рухнула в кресло и закрыла лицо руками.

— Ты — корова! Бестолочь! Хотела опозорить уважаемого человека... Ну и что, что его жена была проституткой?! Да, я понимаю, у тебя шоу и тебе хотелось вымарать в грязи саму Ларису, которая теперь мать двоих малышей и хозяйка студии ландшафтного дизайна... Ладно, бог с ней, ей не привыкать к грязи, она-то переживет! Но Тунцов!

— Саша, успокойся, все же закончилось хорошо!

— Ты так считаешь?

— Разве я могла предположить, что между ними такие доверительные отношения, что Тунцов окажется таким порядочным человеком...

— Порядочным? Какое-то слабенькое слово ты ему подобрала... Да он человек с большой буквы! Он тебя «сделал», Инга! Он развалил твое шоу! Он высмеял тебя, дуру, которая вместо того, чтобы унизить бывшую шлюху, сама унизилась в глазах огромной аудитории!

— Ты не должен так разговаривать со мной... Ты и сам сделал бы так же, если бы у тебя был материал на эту Ларису...

— Сделал бы, да только преподнес бы это под другим соусом. Вместо «Открой глаза» на жену-проститутку я бы «открыл» глаза зрителей на тяжелое, к примеру, детство человека, который столького добился сам, без чьей-либо помощи. Согласись, это принципиально разные вещи. Я бы возвысил Тунцова, и всем было бы от этого хорошо. Что же касается рейтинга, то само участие такого человека, как Тунцов, повысило бы его! Мы, провинциальные телевизионщики, получилось бы, заманили к себе в студию такого человека!

— Но рейтинги у моего шоу зашкаливают! Почему ты на меня кричишь?! Все же нормально!

— Уф, Инга, ну ты точно непроходимая, дремучая дурища! Ты думаешь, что вокруг все идиоты и не поняли, что ты пригласила Тунцова, чтобы показать, кем в прошлом была его жена? Ты ожидала, что будет скандал, что у миллионера челюсть отвалится, когда он узнает, что его жена обслужила в постели пол-Москвы, что ему будет плохо, очень плохо, что он будет раздавлен, уничтожен, что его репутации, наконец, придет конец!

Дремучая дурища. Хорошо, что Маши, домработницы, нет дома, она поехала на рынок. Вот она послушала бы, как костерят ее хозяйку!

— Ну да... А ты разве действуешь не такими же методами? И разве ты, придумав подобный сюжет и добившись того, что все участники появятся в прямом эфире, разве ты не ожидал бы скандала? Да мы только ради скандалов все это и делаем! Ну, признайся, Саша, разве ты мог бы предположить, что Тунцов, весь такой великий Тунцов, расскажет аудитории и всем телезрителям, что да, он все знал, кем была в прошлом его жена, что между ними никогда не было тайн и что они познакомились, когда он был ее клиентом! Он не побоялся признаться в том! И сразу же влюбился в Ларису и сделал все, чтобы вытащить ее из борделя... Ну и что, что все пошло не по моему сценарию? Все получилось даже лучше, чем можно было предположить. Тунцов стал вообще героем! О нашем шоу будут писать все газеты, причем не только местные! Да он и не попал бы к нам никогда, если бы не жил в нашем городе!

Инга отдышалась, смахнула катящиеся слезы, глубоко вздохнула:

— И вообще, Саша, у меня создается такое впечатление, что ты просто завидуешь мне! Моему успеху! И кто тебе сказал, что все подумали, будто бы должен был быть скандал, связанный с унижением Тунцова? Главное в нашем шоу — неожиданность! И мы ее получили в виде признания Тунцова! Это же была настоящая бомба!

— Да это он на твоем шоу вел себя так спокойно. Это было видимое спокойствие. Думаешь, у него нет сердца, души? Думаешь, ему было все это приятно?

— А когда это тебя стали волновать сердце и душа? Ты сам разрушил столько семей, твое шоу «Открой глаза» некоторым людям, извини меня, конечно, закрыло глаза...

— А ты жестокая! — Нечаев сощурил глаза и бросил на жену презрительный взгляд. — Вот точно говорят: самую сильную боль способны причинить только близкие люди, которые все о тебе знают и знают, как ударить побольнее... Та женщина была истеричкой, она и без моего шоу повесилась бы... Ты еще раструби это, расскажи журналистам! Сука ты, Инга, вот что я тебе скажу.

— А ты изменился, Саша, — всхлипнула Инга, забираясь в кресло с ногами и обнимая колени. Обида скрутила ее так, что было трудно дышать. — Раньше ты помогал мне, советовал, как сделать лучше.. И к моим советам тоже прислушивался...

— Раньше... — стиснул зубы Нечаев, судорожно закуривая. — Ты еще скажи, что мой первый проект был полностью оплачен твоим папашей! Ну, давай же, упрекни меня, как ты это любишь делать!

— А разве это не так? — Она подняла на него полные слез глаза. — Он и мне помогал на первых порах. И не только деньгами, но и связями. Он был крупным чиновником, умным человеком, он понимал, что у нас с тобой все получится, знал, что ничем не рискует, вкладывая в нас эти деньги! А ты сейчас истеришь лишь потому, что тебе уже доложили о том, что Цилевич вызывал меня к себе. Да, действительно, он вызывал, и мы говорили с ним. Но не о том, чтобы сделать из двух похожих шоу одно, нет, он прекрасно понимает, что у нас с тобой хоть и похожие проекты, но у тебя все-таки больше мужской, а у меня — женский, в моем шоу больше чувств! А у тебя самые что ни на есть серьезные разоблачения, настоящие бомбы...

— Это он так сказал? — напрягся Александр, затягиваясь сигаретой так, что его щеки, как будто сделанные из тонкого пергамента, вваливались, и в какие-то мгновения его голова становилась похожа на обтянутый кожей череп.

— Ну не совсем так, он сказал это другими словами. Я же передаю тебе суть разговора.

— Уж не хочешь ли ты сказать, что он позвал тебя, чтобы поговорить о моем шоу? — в его голосе звучала издёвка.

— Нет, конечно, не для этого. Он выразил свое восхищение моим последним эфиром... с Тунцовым... Сказал, что это была настоящая бомба. Однако заметил, что он нервничает, боится реакции Тунцова на эту программу и того, что будет реакция в обществе, причем негативная...

— А ты что?

— Постаралась его успокоить, сказала, что наше шоу — это все-таки не Первый канал, не тот уровень и масштаб... И что Тунцов предстал перед зрителями настоящим благородным героем! Что он не оскандалился. Еще Цилевич намекнул, что и тебе тоже не помешало бы придумать сюжет, связанный с жизнью известной в городе семьи, что хватит уже копаться в грязном белье обывателей.

— Он так и сказал — «обывателей»? Надо же, как телевидение превращает людей из славных добрых парней, каким Лева был в пору нашей юности, в бессердечных циников!

— Думаю, он выразился так, чтобы было понятно, чего он именно хочет.

— Лева хочет скандалов, связанных с сильными мира сего, точнее, нашего города?

— Не уверена, что именно с «сильными», во всяком случае, небедными и известными. Это может быть, к примеру, какая-нибудь актриса, наша, местная, которая выбилась в «звезды», переехав в Москву. Возможно, здесь она оставила в роддоме ребенка или что-нибудь в этом духе... Или же зарвавшийся чиновник, возомнивший себя Господом Богом. Или...

— А что ты думаешь по этому поводу? — немного успокоившись, поинтересовался Нечаев.

— Да тут все просто! Криминал! Хорошо бы найти известную семью, у которой проблемы, связанные с нарушением закона. Убийство, наркотики, мошенничество в крупных размерах, сексуальные преступления... Последнее — самое интересное! И тут без наших друзей из прокуратуры не обойтись.

— Постой... Ты же знакома с Михаилом Пирским?

— Не могу сказать, что знакома близко, но несколько лет тому назад брала у него интервью.

Колоритная личность, очень харизматичная. Он столько делает для города! Большой умница, да и мужчина довольно привлекательный.

— Ты что, влюблена в него? — проворчал Нечаев. — И харизматичный, и привлекательный... Обыкновенный мужик, которому крупно повезло в самом начале карьеры.

— Обыкновенный миллионер, — тихо заметила Инга. — Он очень богат. Так что с ним случилось? Почему ты о нем вспомнил?

— Да мне вчера сказали, что у него похитили дочь. Пирский с женой разошелся, и она быстренько вышла замуж...

— Я знаю, за кого Ольга вышла замуж. За Валентина Иванова, художника. Об этом все знают. Неужели дочку похитили? А сколько ей?

— Шестнадцать-семнадцать, как-то так, она лицей заканчивает.

— Значит, точно семнадцать. И что, ты знаешь какие-нибудь подробности?

— Нет, пока ничего не знаю.

— Так узнай! Можно не только передачу сделать, но и снять небольшой фильм, а потом предложить ведущим каналам в Москве. Главное, чтобы это оказалось правдой... Я имею в виду похищение. Да уж, представляю, каково сейчас Пирскому! У него единственный ребенок, дочка, кажется, ее зовут Лена.

— Послушай, не труби об этом повсюду... Похищение — дело опасное, возможно, Пирский скрывает это, чтобы не спугнуть похитителей, по нимаешь? Официальной информации по этому делу, думаю, пока нет.

— Не собираюсь я трубить! Но постараюсь все выяснить. Я даже знаю человека, который мне в этом поможет.

— И кто же это?

— У меня есть знакомая, да ты ее знаешь — Лиза Травина, адвокат. Она всегда все знает. Больше того, если бы Пирский хотел найти свою дочь, то он в первую очередь обратился бы именно к Лизе. А уж та сама решила бы, подключать кого-то из своих знакомых в прокуратуре или нет. Она плотно сотрудничает с Сергеем Мирошкиным. Они часто работают «ноздря в ноздрю»!

— Я знаком с Травиной, но если она даже что-то и знает, то уж точно тебе ничего не скажет. Она умеет хранить секреты.

— Посмотрим! Ну что — мир? Я тебя немного успокоила? Отвлекла? Саша, выбрось из головы несуществующие планы Цилевича об объединении двух наших проектов. Он прекрасно понимает, что лучше иметь два золотых источника, чем один.

Так, разговаривая, они перемещались из одной комнаты своей огромной квартиры в другую, курили, пили кофе, открывали и закрывали пустой холодильник, пока, наконец, не успокоились, переоделись и отправились в ресторан — ужинать.

Однако Александр только делал вид, что успокоился, но на душе у него было тревожно, он чувствовал себя крайне униженно уже потому, что в свой кабинет Цилевич, его друг детства, пригласил на разговор не его, а Ингу. Все знали, что Лева влюблен в Ингу, без всякого стеснения, пользуясь своим служебным положением, он оказывал ей знаки внимания, и поговаривали, что не сегодня завтра проект ее мужа «Открой глаза» будет закрыт, как точная копия более рейтингового, Ингиного — «Скелет в шкафу». Однако известно было и то, что шоу «Скелет в шкафу» предназначалось все же больше для женской аудитории, да и приглашались туда преимущественно героини — женщины со сложными судьбами, и целью этого шоу в идеале было расставить все точки над «i», повесить ярлыки на злодеев и обидчиков прекрасной половины человечества. В студии появлялись, как черт из табакерки, бывшие мужья и любовники, друзья, знакомые, по вине которых женщина страдала и которым предлагалось объясниться с героиней, иногда даже повиниться.

Смысловым центром оформления студии был старинный шкаф, дверцы которого в нужный момент открывались, и перед зрителями возникал переполненный своими и чужими тайнами человек — тот самый «скелет в шкафу», который призван был своими появлением и объяснениями внести определенный порядок и смысл в мысли и чувства участников шоу.

Шоу «Открой глаза» позволяло в прямом эфире порыться в грязном белье красивых женщин. Редко когда Нечаев приглашал на свою программу женщин простых, непривлекательных, обыкновенных. Актрисы, деловые женщины, богатые содержанки, проститутки, балерины, секретарши...

Собирался Нечаев пригласить на свою программу и Лизу Травину, да только пока еще духу не хватало. Сколько раз он представлял себе, как звонит ей, назначает встречу, как пытается уговорить ее принять участие в своем шоу. Она умная, сразу заподозрит что-то неладное. Понимает, что прямой эфир — это информация без кожи, обнаженная, и что все, что будет произнесено там вслух, потом растащат на цитаты, сплетни, слухи.

Нечаев даже придумал тему для Лизы — «Брошенный муж». Она, такая вся успешная, состоятельная, добившаяся всего, о чем только может мечтать молодая амбициозная женщина, даже успевшая стать матерью, на самом деле — хладнокровная и циничная проныра, зарабатывающая деньги на несчастье других людей. Что все-то у нее схвачено-прихвачено, что через ее руки проходят взятки судьям и прокурору, а может, и тем, кто занимается делом на этапе следствия. Что муж ее, Гурьев, живет своей мужской жизнью, часто путешествует, что у него за границей любовницы: итальянка, француженка...

Вот это был бы эфир!

В ресторане, где их знали, Инга с мужем заняли столик возле окна, откуда хорошо просматривался небольшой уютный зал в красно-зеленых тонах, заказали ужин из морепродуктов, фрукты и сразу же выпили по бокалу белого вина.

Анна Данилова

Инга чувствовала на себе взгляды посетителей, сидящих за соседними столиками. Конечно, они ее узнали, вернее, их узнали. Красивая, яркая пара, их лица можно часто видеть на экране. Поэтому они всегда должны быть в форме. Инга всегда об этом помнила и тщательно следила за собой. Чистые уложенные волосы, макияж, маникюр, удобная и стильная одежда. Сейчас на ней было просторное черно-белое шифоновое платье, надетое поверх черной туники. Бледное лицо с подрумяненными высокими скулами и пунцовые губы — такой она увидела себя в зеркале перед тем, как выйти из дома.

Нечаев же был во всем белом: легкий американский костюм с широкими штанами и рубашка с серебряными пуговицами.

— Как там Ирочка? — спросила Инга мужа, чтобы сделать ему приятное. Речь шла о его младшей сестре, которая со дня на день должна была родить. — Нормально себя чувствует? Психологически готова к родам?

— Да, слава богу, все хорошо. Ты бы позвонила ей или, еще лучше, приехала, поговорили бы по-женски. Ты же знаешь, как она тебя любит, как радуется всегда твоему приходу.

— Обязательно съезжу к ней. Она — самый светлый человечек в вашей семье, — сказала она нечаянно вслух то, что думала. И чтобы муж не обратил внимания на случайно прозвучавшую правду о его семье, перевела разговор в другое русло: — Надеюсь, твоя мама не успела заморочить ей голову разными сглазами и прочим бредом?

— Ты так пренебрежительно отозвалась о моей маме, — попытался обидеться обожавший свою мать Александр, — словно и сглаза-то никакого не существует, словно я сам все это придумал!

— Нет-нет, конечно, сглаз существует, но не думаю, что беременным женщинам надо вообще рассказывать об этом.

— Послушай, — начал раздражаться Нечаев, хмуро следя за тем, как официантка ставит перед ним огромное блюдо с креветками, кальмарами и мидиями. — Мы же своими глазами видели фотографии из нашего семейного альбома. Двоюродного деда моего видела?

— Ну, видела, — прошептала, испытывая леденящий ужас, Инга. В такие минуты, когда страх охватывал ее и она казалась загнанной в тупик, когда понимала, что не в состоянии осмыслить и принять что-то страшное, ее организм словно замирал, и только корни волос шевелились, а по коже пробегал ледяной ветерок смерти...

— Мы все видели. И он родился таким от сглаза, понимаешь?

— Поэтому вы заставляете Иру сидеть дома? А как же свежий воздух?

— Ее возят на дачу, и там ее чужие не видят.

Инга всегда восхищалась своим мужем, считала его умным человеком, талантливым, серьезным. Но вот в такие минуты, когда он, по ее мнению, нес всю эту чушь про сглаз, да еще и с умным видом, ей казалось, что она видит перед собой настоящего ребенка! И ей хотелось потрепать его по плечу и сказать: «Саша, дорогой, приди уже в себя! Мы взрослые цивилизованные люди! Скажи, что ты пошутил и что твой двоюродный дядя родился таким по какой-то другой причине».

К счастью, разговор на эту неприятную для обоих тему был прерван. Замурлыкал телефон Инги.

— Да, Дима, слушаю тебя, — улыбнулась она невидимому собеседнику, и Нечаев усмехнулся, понимая, что ее улыбка предназначена режиссеру Инги, молодому красавцу Дмитрию Сапрыкину. — Где мы? В ресторане, а что? Телевизор? Подожди...

Она оглянулась, кивнула:

— Ну да, конечно, есть телевизор. Что, какой канал? Наш? Хорошо, я попрошу сейчас переключить. Я тебе перезвоню...

Она подозвала проходившую мимо официантку и попросила переключить канал, после чего поднялась со своего места и подошла к большой плазме напротив бара, на экране которой беззвучно пела Рианна. Бармен переключил канал, включил звук, он оказался громче, чем следовало бы, и на весь ресторан зазвучал голос взволнованной журналистки, которая вела репортаж с места происшествия:

— ...ее тело выловили рыбаки... Наш оператор сейчас переместит камеру... вот сюда... Вы видите, как тело девушки укладывают на носилки, которые сейчас погрузят в машину «Скорой помощи»...

Инга увидела набережную, толпу зевак вокруг места трагического действия, связанного с погрузкой тела утопленницы, огромные испуганные глаза журналистки, она узнала ее — это была Мила Звонарева, людей в бирюзовых медицинских костюмах, подъехавшую черную машину прокурора, полицейских...

— Что там интересного? — Нечаев, явно рисуясь перед посетителями ресторана, с любопытством рассматривающих Ингу, застывшую перед экраном телевизора, подошел к ней, ничего не подозревая и не предчувствуя, и обнял жену сзади за талию. — Надеюсь, это не теракт?

— Репортаж с места трагедии, — сказала, быстро оглянувшись на мужа, Инга. — Но я пока не поняла, почему этим заинтересовался Дима... Ладно, он потом перезвонит...

— Да уж, наш мост самый большой в Европе и самый, на мой взгляд, красивый, я бы даже сказала, величественный имеет и другую репутацию, — между тем продолжала тараторить в камеру Мила. — Сколько жизней было оборвано в свободном полете с самой высокой его точки... Кто только не бросался с моста в реку! Брошенные мужьями и любовниками женщины, сумасшедшие...

— Вот дура, — пожала плечами Инга и собиралась еще что-то добавить, но в эту же самую минуту в ресторан вошла, громко цокая по мозаичному полу высокими каблуками, молодая женщина.

Анна Данилова

Очень высокая, в развевающихся белых одеждах. Длинные рыжие волосы, бледное лицо, черные, ярко накрашенные глаза, блестящая красная помада. Подойдя к бару, она, словно и не замечая стоящих в шаге от нее Ингу с Александром, забралась на высокий табурет и, обращаясь к бармену, громко сказала:

— Водки! Адам, помяни мое слово, они мне еще дорого за это заплатят!!! Суки, гады, твари!!!

Адам, так звали, по всей вероятности, бармена, тотчас бросившегося исполнять желание посетительницы, наливая водку, поглядывал на женщину с явным ожиданием подробностей, однако не проронил ни слова.

Инга, немного уязвленная, что все внимание публики моментально переключилось на эту молодую даму, вернулась за свой столик. Нечаев последовал за нею.

— Дима! — воскликнула она, увидев, как загорелся дисплей ее мобильника. — Вот сейчас он все и объяснит... Слушаю тебя, дорогой...

И вспыхнула, услышав собственные вылетевшие непроизвольно слова: «Слушаю тебя, *дорогой*...» Вот почему так? Словно рот, ее речевой аппарат, живет своей собственной бесстыжей жизнью, каждый раз подставляя ее! Нечаев потом припомнит ей этого «дорогого», хотя она всегда обращалась так к людям, которыми дорожила, которые были ей близки чисто как друзья. У нее вообще нет любовников, а потому будет обидно снова извиняться, что-то доказывать...

— Да, Дима? — Она попыталась прислушаться к тому, что ей говорил помощник, но не могла расслышать его из-за громкого голоса посетительницы, явно намеревавшейся устроить скандал. Она была похожа на бомбу, которой не терпелось разорваться прямо здесь, у барной стойки. Вероятно, у нее случилось что-то такое, в чем она хотела обвинить весь мир.

Перехватив взгляд мужа, она заметила, что и тот наблюдает за дамой в белом. Причем он смотрел на нее не с восхищением и даже не с любопытством, а с видом человека, пытающегося что-то вспомнить.

— Саша, ты что, ее знаешь?

— Знаю... кажется... Да и ты тоже ее знаешь! Это ведь жена депутата Краснова, того, кто два года тому назад выставлял свою кандидатуру на выборах губернатора!

— Это она?

— Ее зовут Наталья. Мы с тобой были приглашены на банкет по случаю пятидесятилетия ее мужа, ты что, забыла? Они встречали гостей на лужайке своего нового загородного дом в Шумейке!

— Ты хочешь сказать, что та молодая леди во всем белом, увешанная брильянтами, и есть Краснова?

— Да, это она, я ее узнал.

Между тем дама выпила рюмку водки, похлопала себя ладошкой по губам, словно остужая рот, шумно выдохнула и, совершенно не обращая внимания на то, что она в ресторане не единственная посетительница, что за столиками ужинают почти десять пар, разглядывающих ее с интересом, она повернулась и обвела всех тяжелым взглядом и вдруг, когда ее взгляд остановился на Александре Нечаеве, буквально сползла с высокого табурета и, пошатываясь и путаясь в складках своего шифонового одеяния, подошла к нему с полной рюмкой в руке.

— На ловца и зверь бежит! — сказала она с нехорошей, опасной улыбкой, практически вплотную подойдя к нему. Одно резкое движение — и Нечаев вскрикнул и зажмурился: Краснова выплеснула содержимое своей рюмки ему прямо в лицо!

— Что вы делаете? — воскликнула Инга, вскакивая со своего места и пытаясь оттолкнуть женщину от своего мужа. — Алкоголичка, мерзкая тварь!

Последнее слово тоже услышали все, кто находился в ресторане. Инга готова была провалиться сквозь землю от стыда! Снова ее язык сказал то, что она хотела, но что не должна бы произносить вслух, что вырвалось у нее словно помимо воли!

Тут Краснова подошла к Инге и неожиданно схватила ее за волосы и больно дернула.

— Помогите! Полиция!!! Охрана!!! — закричала, обезумев от резкой боли, Инга. — Черт, официанты, куда вы смотрите?!!

— Что, больно? — между тем таскала ее за волосы, причиняя невыносимую боль, Краснова, заглядывая в ее глаза своими, казалось бы, невидящими глазами. — А думаешь, ей не было больно?

— Кому? О ком вы говорите? — прикрывая ладонью глаза, спросил Александр, пытаясь свободной рукой оттащить от жены взбесившуюся женщину. — Если хотите, я позвоню сейчас вашему мужу и скажу, чтобы он за вами приехал или прислал водителя... Да у вас белая горячка!

Наталья Краснова отпрянула от Инги, ее лицо исказила гримаса такой душевной боли, что в ресторане в эту образовавшуюся минуту полной тишины не слышно было даже дыхания присутствующих. Все ждали, что же сейчас будет.

— Да, Лариса была проституткой, была... И я тоже была проституткой! — Она резко повернулась и посмотрела на застывших за своими столиками посетителей пристальным взглядом. — Но Лариса вышла замуж, родила детей, выучилась на дизайнера... Она была счастлива, вы, уроды! И муж ее был тоже счастлив! Это была прекрасная семья!!! И что теперь? Тунцов лежит с инфарктом, а Ларочка бросилась с моста!!! И кто все это организовал, подстроил, срежиссировал?! Не вы ли, сладкая парочка?! Ненавижу вас!!!

И она, как разъяренная кошка, снова бросилась на растрепанную, с красным лицом Ингу, схватила со стола тарелку с морепродуктами и влепила прямо ей в лицо, затем, быстро повернувшись, взяла бутылку с вином и обрушила ее на голову потрясенного услышанным Нечаева.

В эту же секунду подоспевшие охранники скрутили Краснову и оттащили подальше. Нечаев, схватившись за голову, рухнул на колени и замычал. Инга, которую колотило от злости, стряхивала с себя влажные мидии, розовые кружева кальмаров, блестящие от масла креветки...

И в какую-то минуту все ее физические и душевные страдания, связанные с унижением, которым они подверглись на глазах зрителей, вдруг перебила боль другая, страшная, неотвратимая и необратимая: до нее вдруг дошло, что та утопленница, которой был посвящен бездарный репортаж Милы Звонаревой, и есть Лариса Тунцова! Что это она сегодня бросилась с моста в реку!

Волосы на ее голове зашевелились, когда до нее дошел весь ужас происшедшего: Тунцов ничего не знал о прошлом Ларисы! Пришел к ним в студию в роли преуспевающего бизнесмена и человека, привыкшего выслушивать благодарности, связанные с его благотворительной деятельностью, а его вместо этого вываляли в грязи, доказали, что его жена — проститутка, что он, получается, наивный слепец, доверивший этой женщине рождение своих детей, и он, скрыв свои истинные чувства, преодолев самого себя и из-за любви к своей жене, сделал вид, что он все знал о ее прошлом. Продемонстрировал высший пилотаж благородства и порядочности по отношению к женщине, которая нашла в себе силы начать жизнь с белого листа. Рядом с ним Лариса прошла весь путь очищения и доказала, что она может быть верной женой, хорошей матерью и талантливым человеком. Что шанс, который ей дала жизнь, позволив ей выйти замуж за Тунцова, был использован ею в полной мере.

Возможно, все эти годы, что она жила в браке, ее терзал страх разоблачения, может, по ночам ее мучили кошмары, связанные с ее прошлой жизнью, и чем дольше длился этот брак, тем страшнее ей было при мысли, что ее тайна откроется и она потеряет все, чем была счастлива и чем жила все это время.

Ее поймали, как дикого зверя в капкан, и убили. Она убила, Инга. Вот просто разрушила две жизни, семью, оставила маленьких детей без матери. Если же Тунцов, не дай бог, умрет в больнице, то дети останутся сиротами! Полными сиротами!

Через несколько минут об этом узнает весь город!!!

Можно себе представить, что испытали они оба, Лариса и Тунцов, когда в студии появилась ее родная сестра-неудачница, мать-одиночка, с которой Лариса не общалась, и, давясь от зависти к Ларисе и от злости, вывалила всю правду-матку в прямом эфире: мол, а вы и не знали, что Лариса была вокзальной проституткой?

Еще этот сутенер, Борис Бессонов, который испытал немалый шок, когда до него дошло, зачем его пригласили... И он тоже хотел забыть свое сутенерское прошлое, построил небольшую гостиницу на берегу моря, жил спокойно... А тут его спрашивают прямо в лоб: вы знакомы с этой женщиной? Это вы заставляли Ларису работать на вокзале? Это вы подыскивали ей клиентов?

Инга не пересматривала запись шоу, сейчас же, в свете трагедии, она, быть может, увидит крупным планом глаза нечастной Ларисы, ее взгляд, в котором она, Инга, увидит отражение приближающейся смерти... Боль, отчаяние, невыносимые муки...

Что она наделала?

...Между тем Александр, не проронив ни звука, поднялся с колен, отряхнулся, схватил жену за руку, и они, под зловещий шепот и возмущенные возгласы возвращающихся на свои места посетителей, быстро покинули ресторан.

Он тащил ее с такой силой, словно хотел оторвать руку.

Они сели в машину и приехали домой. В машине Нечаев тоже не проронил ни звука. Словно копил в себе все, что собирался высказать жене дома, обрушив на ее голову все свое презрение, возмущение и злость.

Но, распахнув дверь квартиры и пропустив вперед себя Ингу, он увидел спокойное и улыбающееся дежурной улыбкой лицо домработницы Маши, рыжеволосой полненькой моложавой женщины, работавшей у них уже много лет.

— Как хорошо, что я дождалась вас, — сказала она, как ни в чем не бывало принимая из рук Инги дамскую сумку. И тут, заметив, как перепачкано ее платье, да и в волосах застряли какие-то розовые кусочки, она замерла, внимательно оглядывая свою хозяйку. Потом перевела взгляд на Нечаева, нервно срывающего с ног летние ботинки. Пытаясь зацепить носком одного ботинка пятку другого и подпрыгивая, злясь на самого себя за неловкость, он был бы смешон, если бы не мокрые, торчащие в разные стороны волосы, рана на лбу и кровавая дорожка, тянущаяся по влажным виску и щеке, плюс капли крови на мокрой и пахнущей вином рубашке.

— Ба, да вы откуда такие красивые? — всплеснула Мария руками, открывая дверь в ванную комнату, куда спешила спрятаться от разъяренного мужа Инга. — Саша, что случилось?

7

Молодую маму звали Анжелика. Она, сама нервничая, как-то лихорадочно, судорожно качала коляску со спящим младенцем, одетым во все голубое. Солнце дробилось в пышной кроне молодого клена, в тени которой стояла парковая скамейка, расцвеченная солнечными зайчиками.

Хорошо одета, ухоженна, капризна, с недовольным, однако миленьким личиком, Анжелика, казалось, и сама уже была не рада, что вышла погулять с маленьким сынишкой в парк.

— Вообще-то у нас есть няня, да только у нее грипп, и она осталась дома, у себя дома, — объясняла она Денису, напористо допрашивавшему ее, сидя рядом с ней на скамейке. — Эту коляску мне купила моя свекровь, не ахти какая, но ничего, сойдет... Она неплохо маневрирует...

— Это вы о свекрови? — широко улыбнулся, исключительно из вежливости и чтобы расположить к себе женщину, Денис, прилагая к этому немалые усилия, поскольку улыбаться ему вовсе не хотелось. Ведь он, по сути, провалил задание. Опростоволосились и другие, целая группа хорошо подготовленных профессионалов, задачей которых было схватить человека, который должен был прийти за выкупом, спрятанным в коляске.

— Нет, это я о коляске. Так что у вас там произошло? Меня уже спрашивали, я отвечала, сама уже не помню что... И вот они уехали, теперь вам от меня что-то нужно. Я же вам уже сказала, что в нашей коляске никаких денег не было! Вы же и сами прекрасно знаете, что точно такую же коляску обнаружили в квартире на первом этаже. Понятное дело, ее подменили! Снял какой-то парень квартиру, пожил день или два, сколько ему понадобилось, чтобы купить точно такую же коляску, как у нас, ну и придумать весь этот план...

— А кто хозяйка этой квартиры?

— Не знаю, какая-то женщина... Ваши же люди звонили ей, это же она рассказала о своем квартиранте...

— А вы сами не видели этого парня? Вы же каждый день гуляете, может, заметили кого?

— Нет, никакого парня я не видела. Вчера буквально вечером я видела, как оттуда выходила какая-то женщина средних лет, вернее, нет, скорее всего, пенсионерка. Думаю, это и была хозяйка квартиры.

— А раньше вы ее видели?

— Да, кажется, видела...

Денис уже и сам понял, что только теряет время с этой Анжеликой, возможно, будет польза от встречи с подругой Лены Пирской, Наташей Каленовой, с которой он уже договорился. С другой стороны, он чувствовал, что Анжелика, быть может, единственный человек, который видел преступника. Ведь подменили именно ее коляску! То есть, пока мамаша была дома, из квартиры на первом этаже вышел человек, который подменял коляски, оставив в подъезде другую, не Анжеликину, дождался, когда Пирский положит туда деньги, и, как только тот, с теплящейся в душе надеждой на освобождение дочери, вышел из подъезда, коляски снова поменяли местами, вернув на место коляску Анжелики. На это ушло от силы минут пять. После чего преступник с деньгами выбрался из квартиры на улицу и был таков!

— Знаете что? — вдруг сказала Анжелика, задумчиво приложив указательный пальчик к своим накрашенным губам. — Я видела эту женщину, как она разговаривала с моей няней, Татьяной Ивановной. Так что вы можете поговорить с ней. Знаете ли, пожилые люди словоохотливы, любят посудачить, посплетничать, причем неважно о ком или о чем. Возможно, Татьяна Ивановна и знает что-нибудь о квартиранте соседки. Если хотите, я дам вам ее телефон.

Понимая, что это, возможно, единственная зацепка, которая может привести к квартиранту, то есть к преступнику, Денис без особого энтузиазма записал телефон няни, распрощался с Анжеликой, отметив про себя, что женщина настолько хороша, что, останься она одна, без мужа, он бы не раздумывая взял ее в жены, и вернулся в машину. Позвонил Татьяне Ивановне, договорился с ней о встрече.

Няня, высокая крупная женщина с короткой стрижкой и молодыми зелеными глазами, была довольно современна, носила джинсы и футболку. В квартиру не впустила, они с Денисом договорились встретиться возле ее дома, в скверике.

— Да, я знакома с этой женщиной, ее зовут Аверочкина Тамара Петровна, — она действительно охотно принялась рассказывать о своей знакомой, проживающей на первом этаже дома, в котором работала няней. — Когда я прогуливалась с коляской, она, увидев меня в окно, иногда выходила, чтобы просто поболтать. Угощала меня печеньем собственного приготовления, мы с ней обменивались рецептами, словом, обычные женские разговоры. Она сказала, что живет в центре, в квартире сына, который уехал работать за границу. А она присматривает за квартирой, кормит кота, а свою квартиру сдает. У нее какие-то проблемы со здоровьем, ей нужны деньги, поэтому она вечерами, вернее, даже ночами приторговывала возле ресторана «Европа» сигаретами. Рисковала, ведь это незаконно, но все равно выходила. Подвыпившие посетители ресторана, покупая у нее сигареты, нередко оставляли ей больше положенной суммы.

Денис слушал ее и думал: вот поделилась с ней женщина, душу ей, можно сказать, раскрыла, все тайны свои выложила, все проблемы, а эта Татьяна Ивановна спокойно вывалила все это сейчас первому встречному. Причем она наверняка не поняла, кто такой Денис и почему хочет поговорить с ней о ее знакомой.

Не поленилась, поднялась к себе домой, чтобы принести записную книжку с адресом и телефоном Тамары Петровны. Словом, сдала ее со всеми потрохами, наверняка предположив, что интересуются ею исключительно в связи с ее ночным сигаретным бизнесом.

— Спасибо, Татьяна Ивановна, вы нам здорово помогли, — сказал Денис, в душе презирая эту с виду вполне приличную женщину.

— Всегда готова помочь милиции, вернее, полиции... Знаете, так непривычно нашу милицию называть на киношный лад — полиция!

Звонить Тамаре Петровне Денис не стал. Сразу же поехал на центральный проспект, где в доме, часть которого занимали ювелирные магазины, в доме, в котором жила лишь так называемая элита города да горстка упрямых старожилов-пенсионеров, не желавших покидать свои квартиры, разыскал нужную квартиру, позвонил.

Он слышал шаги за дверью, какие-то шорохи, из чего сделал вывод, что Тамара Ивановна дома, но по какой-то причине не желает открывать.

— Тамара Ивановна, откройте, пожалуйста! У меня письмо от вашего сына!

Он понимал, что поступает подло, что так нельзя поступать с женщиной, для которой, скорее всего, все, что связано с сыном, свято, и тем не менее не нашел ничего другого, кроме как воспользоваться этой темой.

Расчет оказался верным — дверь тотчас распахнулась!

— От Аркаши?! — воскликнула радостным тоном невысокая полненькая блондинка лет шестидесяти в летнем халатике. В квартире пахло жареным луком.

Денис кивнул и поспешил войти в переднюю, чтобы хозяйка не сразу сообразила, что ее обманули, и не выставила незваного посетителя вон.

— У вас лук горит, — сказал он, и женщина бросилась в кухню. Денис последовал за нею.

Выключив огонь под сковородкой, она обернулась и, сияя улыбкой, пригласила его сесть за стол.

— Ну, как он там? Как вы там вообще? Все в порядке?

— Тамара Ивановна, я — помощник адвоката, Елизаветы Травиной. Пока что я действую как неофициальное лицо, но если вы будете упорствовать и продолжать вводить всех в заблуждение, — напирал он, чувствуя, что женщина не успевает осмыслить услышанное, — то вас вызовут в прокуратуру для дачи показаний. Советую вам рассказать все мне!

С этими словами Денис продемонстрировал свое удостоверение, состряпанное для него Глафирой, в котором он действительно значился как помощник адвоката.

— О господи, боже мой... — рухнула на табурет Аверочкина. Несколько мгновений она просто сидела, словно в ступоре, потом тяжело вздохнула и сказала: — Это все деньги. Все из-за них. И Аркаша присылает, и я сама подрабатываю, как могу, но все равно эти лекарства, эти процедуры... Бес меня попутал, честное слово! А ведь чувствовала, что влипаю в какую-то аферу... Но она же мне ничего толком не сказала!

— Так, Тамара Петровна, давайте уже все по порядку. Кто эта женщина? И что от вас хотели? Но для начала, чтобы вы поняли: вас втянули в тяжкое уголовное преступление, связанное с похищением человека...

— Похищение человека?! Да при чем здесь похищение?

— Итак. С чего все началось?

— Три дня тому назад ко мне обратилась одна девушка. Назвалась Леной. Сказала, что заплатит мне за то, что я в определенный момент поменяю коляски на лестничной площадке. У нас там, наверху, живет одна молодая мамочка, ее зовут Анжелика, и она оставляет свою коляску внизу, как раз возле моей двери. Мне поздно вечером привезли точно такую же коляску и попросили осуществить эту подмену.

— Вы хотите сказать, что совершенно незнакомая вам девушка попросила сделать это и вы не спросили ее, зачем ей это понадобилось? А если речь шла о подмене ребенка?

Анна Данилова

— Нет-нет, она сразу сказала, что ребенок ни при чем, что просто в коляску должны кое-что положить, чего не должна видеть Анжелика...

— А если это был тротил?!!

— Знаете, я тоже об этом подумала, а потом решила, что если готовится террористический акт, то к чему такие сложности? Тротил можно положить, к примеру, просто в мусоропровод, и никакой коляски покупать не нужно! Ну и, конечно, я спросила, не опасно ли это для жизни...

— Вам пообещали денег? Сколько?

— Тысячу долларов, — опустила голову Аверочкина. — Это большие деньги, согласитесь. Говорю же, бес меня тогда попутал. И что случилось-то? Какое-нибудь несчастье? Неужели взрыв?!!

Она вдруг застонала, прикрывая рот ладонью.

— Никакого взрыва не было, но убийство, возможно, было... — трагическим тоном, желая припугнуть безмозглую Аверочкину, произнес Денис. — Поэтому давайте, выкладывайте, как выглядела эта девушка. Возраст, опишите внешность...

— Высокая, стройная, хорошенькая, такая с виду интеллигентная, одета хорошо, духами пахнет... Волосы длинные, густые. Ну, не похожа она была ни на убийцу, ни на террористку!

— Вы сказали, что ее звали Лена. Она что, вам паспорт свой показала?

— Нет, не паспорт... Она же ко мне не просто так пришла, она сказала сначала, что хочет снять квартиру. Ей соседи сказали, что мои жильцы уже съехали.

— То есть она нашла вас здесь, вот по этому адресу?

— Конечно. Думаю, ей Таисия Николаевна этот адрес дала, соседка. Ну, я впустила девушку, она сказала, что хочет снять квартиру, желает посмотреть ее. Ну вот, в процессе, так сказать, общения я и узнала, что ее зовут Лена.

— Может, она и фамилию вам свою назвала?

— Знаете, назвала. Постойте, дайте-ка вспомнить... Притская ли... Прытская... Пирова..

— Пирская?!

— Да, кажется, так...

Потрясенный, Денис удовлетворенно вздохнул. Получается, не напрасно он пошел по соседкам-пенсионеркам. Лена Пирская. Что же это выходит, она сама устроила свое похищение? Чтобы заработать денежек, а заодно отомстить родителям? Вот это новость!!!

Однако он не должен был показывать радость. Напротив, он нахмурился:

— Послушайте, Тамара Петровна. Вы — взрослая женщина, у вас за плечами большой жизненный опыт. Скажите, что такого сказала вам эта Пирская, что вы сразу же согласились ей помочь?

Она вдруг посмотрела на Дениса жалобно, простонала что-то и даже всхлипнула, давя на жалость.

— Знаете, не хочу, чтобы вы считали меня полной дурой, — наконец сказала она. — Терроризм, тротил... Конечно, она все мне рассказала. Что она из неблагополучной семьи... Нет, не в том смысле, что ее родители пьяницы, нет, напротив, они состоятельные люди, но просто заняты своей жизнью, да к тому же еще и в разводе. У нее план: она хочет проучить их, а заодно вытрясти из них деньжат, хочет купить небольшую квартиру, чтобы жить отдельно от них. И рассказала, как она спланировала свое похищение и как долго не могла придумать способ передачи денег. Ну и придумала! Вспомнила, как однажды, когда она была маленькая, по словам ее мамы, их коляску перепутали с другой коляской, и мама вышла погулять с соседским мальчишкой... Это и навело ее на мысль о подмене колясок. Она попросила меня поменять их, чтобы в ее коляску в определенное время ее отец положил деньги, много денег. Она допускала, что он обратится в полицию и поэтому будет очень трудно забрать денег... Словом, остальное вы уже знаете, иначе не пришли бы сюда, по мою душу. Что же касается меня... Да, конечно, может, я и не должна была этого делать. Но она пообещала мне заплатить, как я вам уже сказала, к тому же я рассудила, что лично я ничего особенного и не делаю! Я же не убиваю никого! Просто окажу девушке услугу, поменяю коляски...

Денис уже не мог слышать про эти злосчастные коляски!

— Так что случилось? Ее отец положил в коляску деньги, а когда ваши архаровцы обнаружили, что их обманули, что в коляске Анжелики ничего нет, вот тогда вы и нашли меня, сообразили, что подмена произошла прямо в подъезде!.. Что ж, таков был план! И что теперь будете со мной делать?

Осудите? Посадите? Все живы-здоровы, в конце концов, это их семейное дело, вот путь и разбираются. Деньги-то, по сути, остались в семье!

— Все бы ничего, — сказал Денис, — если бы отцу не подкинули пакет с отрубленным пальцем дочери...

Аверочкина схватилась за сердце.

8

Валентин Иванов произвел на Глафиру сильное впечатление: красивый белокурый молодой человек с зелеными глазами и изысканными манерами. Даже если бы он не был талантлив, как считала Ольга, подумала Глафира, разглядывая его в свете теплого весеннего солнечного дня за столиком кафе, то его можно было бы содержать и кормить теплыми булочками по утрам уже за его природные данные. Конечно, и такие прелестные молодые люди могут быть злодеями, но в это не хотелось верить.

Глафира расспрашивала его об отношениях с падчерицей, ловя себя на том, что она откровенно любуется его нежной кожей, блестящими светлыми волосами и густыми черными ресницами.

— У нас с Леной совершенно замечательные отношения, — спокойным тоном убеждал он Глафиру, помешивая сахар в кофе. — Конечно, она ревнует меня к Инге, и это понятно, особенно учитывая ее сложный возраст.

— Вы не питали к ней других... не отеческих чувств? — задала неловкий вопрос Глаша и растерялась.

— Я понимаю, что вы имеете в виду, но Лену я всегда воспринимал просто как девочку, как ребенка, понимаете? Хотя чисто с эстетической точки зрения она мне, безусловно, нравилась... нравится. Вы, вероятно, хотели бы задать мне более грубый вопрос: не приставал ли я к ней? Так вот, отвечаю: никогда. Я люблю Ольгу.

— Но если вы любите Ольгу, то зачем вам эта связь с вашей однокурсницей? — глядя ему прямо в глаза, спросила Глафира.

На ее глазах лицо художника стало розовым, а потом и красным.

— Но у меня нет никакой связи ни с кем! К тому же я привык, что мне постоянно приписывают разного рода любовные похождения.

— Как это — разного рода?

— Некоторые считают меня геем, — просто ответил Валентин.

— Как вы думаете, куда могла сбежать Лена, если это побег?

— Она девушка непредсказуемая, свободолюбивая, подчас — неуравновешенная, дерзкая, и у нее полно всяких тайн. Это написано на ее лице. Я знаю, что она с презрением относится к нашему с Ольгой браку, что недолюбливает меня и считает полнейшей бездарью. Но если это так, то кто заставляет людей покупать мои картины?

— Скажите, что вы знаете о денежных отношениях Лены с родителями? — Глафира решила переменить тему, поскольку почувствовала, что коснулась открытого нерва художника.

— Точно ничего сказать не могу, но предполагаю, что ей ни Ольга, ни Пирский никогда ни в чем не отказывали.

За полчаса до встречи с Ивановым Глафире позвонила Лиза и рассказала о том, что, по словам Дениса, Лена сама организовала свое похищение. И хотя в это верилось с трудом, но факты, точнее показания хозяйки квартиры, рядом с которой стояла злополучная коляска для выкупа, говорили сами за себя.

— Скажите, вот вы, зная Лену, могли бы предположить, что она сама придумала собственное похищение?

— Да запросто! Говорю же, она — девочка дерзкая, смелая, решительная, к тому же знает, что ей за это ничего не будет. Что ей все рано все простят. А безнаказанность порой развязывает руки и позволяет некоторым людям совершать самые низкие поступки и даже преступления. И если похищение было спланировано Леной, то я не удивлюсь, больше того, чисто по-человечески я ее где-то даже понимаю.

После разговора с Ивановым, от которого не получила никакой информации и которого Глаша меньше всего заподозрила бы в причастности к похищению, она отправилась в Вязовку: Тимофей Загуменный, компьютерщик, с помощью Пирского забрал ноутбук Лены у своего коллеги, который все эти дни работал с ним, и выяснил, что человек, предположительно девочка, ровесница Лены, с ником «Эстер» проживает неподалеку от Ирены Пирской, тетки Лены.

Большое село Вязовка утопало в зелени цветущих садов. Солнце припекало, небо было бездонным, прозрачным, фантастически чистым, нежно-голубым.

Глафира съехала с шоссе на центральную улицу, возле магазина остановилась, чтобы спросить у местной жительницы, несущей авоську с хлебом и бутылками с пивом, где находится улица Чапаева. Разговорились, Глафира выяснила, что у многих в домах уже есть Интернет и что вся местная молодежь вечерами сидит за своими компьютерами, и все это потому, что клуб никто не ремонтирует, что некуда им пойти, пообщаться, потанцевать, посмотреть кино. Только те, у кого есть машина, в выходные отправляются в областной центр — на дискотеку. Никого по имени Эстер, понятное дело, в Вязовке нет. На улице Чапаева есть только один дом, в который проведен Интернет, — это старая библиотека, которой заправляет Дарья Владимировна Чибирева, учительница на пенсии. Библиотека частная, книги там можно взять почитать совершенно бесплатно, главное — вернуть вовремя. Чибирева объявила тихую войну Интернету, убеждая всех своих соседей и знакомых, что настоящее, живое человеческое общение невозможно заменить никакими электронными ухищрениями и нет ничего приятнее, чем взять в руки настоящую, бумажную книгу. Библиотеку Чибирева устроила в доме своего отца, на самой окраине села. Сама оплачивает электричество, покупает лампы для читального зала, дочка Катя моет там полы, заклеивает на зиму окна и даже, когда в зимние вечера туда набиваются пенсионерки, чтобы почаевничать и посплетничать, заваривает им чай и печет пирожные. Что же касается Интернета, то, несмотря на объявленную ему войну, сами мать и дочка Чибиревы охотно черпают из него информацию, скачивают фильмы, музыку и информацию для тематических вечеров.

— Отлично, — рассмеялась Глафира, слушая женщину, которая, разговорившись, поставила свою тяжелую авоську на землю. — Это как угощать всех шампанским во времена сухого закона!

Она поблагодарила женщину за столь подробный рассказ о библиотеке на улице Чапаева, поскольку предположительно именно оттуда велась электронная переписка «Лена—Эстер», и покатила в сторону живописного, заросшего плакучими ивами моста.

Она бы, конечно, сначала заехала к тетке Лены — Ирине, но Лиза сразу предупредила ее, что Пирская сейчас находится в городе, в квартире своего брата, где они в нетерпении и тревоге поджидают возвращения Елены.

Дорога впереди разветвилась. Слева, в километре от перекрестка, находились кирпичный завод и животноводческие фермы. Прямо дорога шла к шоссе, ведущему к волжским деревням. А направо — в зеленую низину, тянущуюся на противоположный край деревни, где как раз и обрывалась улица Чапаева, ведущая свое начало от самого центра Вязовки, от здания администрации.

Глаша свернула направо и поехала по узкой тенистой аллее, густо заросшей ивами и молодыми пирамидальными тополями. Проезжая вдоль высокого бетонного забора, она подумала, что меньше всего хотела бы прятаться от людей за такой мрачной оградой. Ведь наверняка за забором имеется дом с садом и цветником. И хозяйка, выращивая розы или пионы, в душе надеется, что эту красоту увидят люди. А они-то как раз ничего и не видят. И все потому, что муж этой женщины зачем-то построил эту серую высокую бетонную стену...

Так, фантазируя и представляя себе обитателей невидимого дома, Глаша доехала до крепкого, из красного кирпича, домика, к стене которого была прибита доска с надписью «Библиотека». Вокруг дома был разбит палисадник, густо заросший сиренью. На скамейке перед домом сидела девушка в синей юбке и белой блузке и читала книгу. Солнце играло ее рыжеватыми кудрявыми волосами.

— Здравствуйте! Я ищу Катю Чибиреву, — сказала Глафира, выходя из машины.

— Считайте, что вы ее уже нашли, — приветливо улыбнулась девушка. На вид ей было лет двадцать с небольшим.

— Отлично! А меня зовут Глафира Кифер. Я ищу Лену Пирскую. Вы знакомы с ней?

— Лена Пирская? А кто это?

— У вас есть Интернет? Вы, как бы это помягче выразиться, «чатитесь» в Интернете?

— Ах... да, — почему-то засмущалась Катя. — И что? Какую вы именно Лену ищете? Там у меня полно разных «Лен».

— У нее ник «Lena». А у вас «Ester»?

— Да, точно! Я — «Эстер»! Придумала первое, что пришло в голову! Мама крутила нашим старушкам многосерийный фильм «Блеск и нищета куртизанок», причем они смотрели этот ностальгический сериал уже раза три! Ну я и взяла имя главной героини! Постойте... Лена... Я переписываюсь с одной такой Леной, не сказать, что активно, но так, время от времени... Она бывает здесь, гостит у своей тети Ирены.

— Да-да! Именно о ней я вас и спрашиваю. Когда вы видели ее в последний раз?

— Не знаю... Может, зимой. Да, точно, зимой. Она заглядывала ко мне в библиотеку, взяла несколько книг почитать. Как раз были метели, все сидели по домам и носу не высовывали. А она добежала до меня, взяла книги, сказала, что очень любит под завыванье метели сидеть дома и читать.

— И какие книжки она взяла?

— Набокова, Чехова, Тургенева, Толстого вот брала, «Анну Каренину». Хорошие книжки, — улыбнулась, вспоминая свою знакомую, Катя Чибирева.

— Лена пропала. Точнее, ее похитили. Или же она сама себя похитила.

И Глафира рассказала Кате о том, что знала. Не упомянула разве что про присланный Пирскому палец. Зачем пугать человека, когда экспертиза еще не готова и этот палец может и не иметь к Лене никакого отношения.

— Нет-нет, никому не верьте! — замахала руками Катя. — Она не такая, чтобы сама себя похищать! Она — серьезная, настоящая, понимаете? Она никогда не станет играть в такие игры!

— Но факты говорят сами за себя! Это она обратилась к женщине, которая помогла ей с помощью коляски заполучить выкуп!

— Да мало ли кто чего сказал! Если бы я верила тому, что говорят здесь, в нашей деревне, друг о друге, то... Меня лично уже несколько раз записывали в секты и даже, извините, в лесбиянки, и все потому, что я не встречаюсь с парнями. Но подождите, говорю я, когда-нибудь случится такое и я встречу хорошего человека. Но пока что не встретила, так зачем же время тратить? В Вязовке нет ни одного приличного парня. В городе я если и бываю, то все больше по делам, за покупками, в аптеку, у нас аптечный пункт, там мало что есть, а местные жители обращаются ко мне, когда что-нибудь заболит, так, по-соседски. Ну, я и покупаю аспирин там, сердечные лекарства, от давления... Словом, в городе все бегом-бегом, с кем там познакомишься...

— Когда вы последний раз писали Лене? О чем шла речь?

— Знаете, вот вообще ни о чем! Совершенно бессмысленные какие-то комментарии к чужим сообщениям, иногда какие-то новые фильмы обсуждали или книги. Вот в последний раз мы с ней говорили... Ну, вернее, не говорили, конечно, а писали друг другу — комментировали новую экранизацию «Анны Карениной», мне вот не понравилось, а Лене — очень! Да я могу вам показать нашу переписку! Поверьте мне, там нет ничего, что могло бы навести на мысль о ее исчезновении, похищении... Говорю же: она серьезная девушка и уж никогда бы не стала раскручивать своих родителей на деньги. А деньги в ее семье водятся. Стоит только посмотреть, на какой машине — на огромном джипе! — разъезжает ее тетя Ирена, мы ее, кстати, здесь все любим и уважаем, и все становится ясно! Потрясающе интересная женщина!

— У Лены ведь нет своей машины? — спросила Глаша на всякий случай.

— Нет, своей нет, хотя права есть. Она объяснила это тем, что ее мать просто боится за нее, потому и не покупает машину. Но здесь она свободно пользоваласьИрениным джипом. Он хоть и большой, на мой взгляд, неуклюжий, я-то никогда не водила машину, но Лена очень ловко с ним управлялась!

— Как вы познакомились с Леной?

— Да вот здесь, в библиотеке, и познакомились. Мне показалось, что она заблудилась... Идет такая, смотрит по сторонам, увидела вывеску, остановилась — я видела ее в окно, а потом и зашла. Спросила меня, имеет ли она, городская, не прописанная в Вязовке, право пользоваться библиотекой. Ну я и ответила, что, конечно, может! Главное — вовремя сдавать книги! Мы же с наших читателей даже денег не берем, ни на что, и гордимся этим! Конечно, у нас есть копилка для пожертвований, но наши жители редко туда кладут деньги. Зато нам время от времени помогают фермеры! Когда бывают в городе, там рядом с рынком как раз есть оптовый книжный склад, они покупают иногда новые детективы, словари, детские книги. Особенно один, его зовут Вадим, у него молочная ферма. Так вот, он когда приезжает, то, кроме книг, привозит нам лично с мамой молоко, а когда бычков режут, и мясо...

Катя оказалась словоохотливой девушкой, чувствовалось, что она рада, что к ней кто-то заглянул, да тем более с вопросами, с темой. Однако о Лене она ничего существенного не рассказала. Так, шапочное знакомство, треп в социальных сетях ни о чем, и фантазии, фантазии...

— Жаль, что я не смогла вам помочь, — пожала плечами Катя, когда Глафира собиралась распрощаться с ней. — Человек пропал, понимаю — все это очень серьезно. Да только понятия не имею, что с ней могло случиться. Но я уверена, что она исчезла не по своей воле. Уже больше недели, говорите, ее нет? Жаль, такая славная девушка!

— Скажите, Катя, а кто живет во-о-он в том доме, которого не видно, за забором? — она махнула рукой в сторону едва просматриваемого за кронами деревьев забора.

— Это частное владение, мы называем его «Ивовым домом», поскольку вдоль забора растет много старых ив. Оно принадлежит одной женщине, какой-то чиновнице или бизнес-леди, которая крайне редко здесь бывает, а если и бывает, так ее никто не видел. Но дом не брошен и не продается. За ним следят, ухаживают. Там живет сторож, Григорий, очень хороший человек. Наши женщины его хорошо знают, потому что он время от времени раздает им цветочную рассаду, разные там корешки, семена... Он сторож и по совместительству цветовод. Не сказать, что очень уж общительный, но вежливый такой, приятный мужчина. У него есть жена, она иногда приезжает к нему из города, думаю, что привозит продукты. Он же здесь почти всегда живет. Ну, отлучается, конечно, тоже в город за покупками, к жене домой, мало ли... Но в основном живет здесь, никто уже и не помнит, когда он тут поселился... Он, кстати говоря, дружит с тетей Лены, Иреной. Та тоже помешана на цветах, у нее оранжерея. Нет-нет, вы не подумайте, у них никакого романа нет, хотя они и ходят друг к другу в гости, больше он туда никого не приглашает. Говорят, что у Ирены есть мужчина в городе, вроде бы ее видели с ним... Такой высокий представительный мужчина...

— Возможно, это ее брат Михаил Пирский, отец Лены, — сказала Глаша. — Хотя, конечно, может, у нее и есть друг. Скажите, а этот Григорий... Они с Леной не общались, не дружили? Ну, он бывал в доме Ирены?

— Понятия не имею.

Глафира, решив отблагодарить молодую библиотекаршу за ее участие, достала несколько тысячных купюр:

— Ну, показывайте, где тут ваша библиотечная копилка?

Катя, как ребенок, от радости захлопала в ладоши:

— Ну, конечно! Идемте! Спасибо!!!

— А заодно, если не трудно, сделайте распечатку последних разговоров с Леной и запишите мне ваши личные данные: мейл, номер телефона, если можно.

На обратном пути Глафира решила заглянуть за забор «частного владения», чтобы полюбоваться на цветы, а заодно и поговорить со сторожем-цветоводом Григорием. Она вышла из машины, прошла по посыпанной мелким камнем дорожке к огромным металлическим воротам и, отыскав черную кнопку звонка, позвонила. Потом еще раз и еще. Тишина. Приблизившись к воротам, она присмотрелась и, отыскав небольшую щель между калиткой и самими воротами, приникла к ней, чтобы хоть одним глазком, в прямом смысле, взглянуть на дом и сад.

Дом одноэтажный, простой, без затей, но добротный, стоял в глубине ухоженного, цветущего сада. Между деревьями росла ровно постриженная газонная трава нежно-зеленого цвета, остальное пространство занимали цветочные ряды. Ближе к самому дому, к крыльцу, она увидела растущие редиску, лук и салат.

Судя по тому, что ей никто так и не открыл, хотя она еще несколько раз звонила, в доме не было никого. Вероятно, Григорий тоже отправился в город.

Глафира вернулась в машину, села и уже отъехала на несколько метров от дома, как вдруг увидела небольшой серый микробус, который повернул к дому как раз с улицы Чапаева. Поскольку на этом отрезке пути больше не было жилых строений, за исключением домов, стоящих на параллельной улице, к которым можно было бы пройти огородами, Глаша свернула с дороги и спрятала машину в зарослях старых ив.

Как она и предполагала, микробус остановился как раз напротив ворот «Ивового дома». Дверца открылась, сначала вышел водитель, затем — худощавый, средних лет мужчина с волнистыми седыми волосами, больше смахивавшими из-за своей неестественной густоты на парик. Мужчина, очень энергичный, проворный, быстро достал ключи и отпер ими ворота, распахнул их. В это время водитель открыл кузов микробуса, и вдвоем мужчины достали оттуда... гроб!

Глаша достала платок и промокнула им вспотевшее от волнения лицо. Вот это да! В том, что она видит перед собой сторожа Григория, цветовода, она нисколько не сомневалась. Вот только для кого этот гроб? Довольно большой, деревянный, даже не обитый материей! Просто сколоченные доски!

Кого можно хоронить в таком незатейливом гробу? Только того, чьи официальные похороны с приглашенными родственниками и друзьями даже не подразумеваются! То есть в доме кто-то умер, и эту смерть предполагается скрыть от людей.

Может, этот Григорий убил свою хозяйку, а перед этим заставил ее подписать дарственную на дом? Почему бы и нет? Он так давно живет здесь, что возомнил себя хозяином. Может, хозяйка решила продать дом, и тогда Григорий может лишиться работы. Вот он и предпочел действовать, заполучить дом, убив хозяйку?

Мысли кружились вокруг гроба, покойника (или покойницы), Григория...

Хотя... Может, это вовсе и не гроб, а просто длинный ящик для рассады? Что она, Глаша, знает о садоводах, ящиках для рассады? Ровным счетом ничего. В загородном доме, где она жила с семьей — мужем и двумя сыновьями (мальчики были от первого брака Дмитрия), всем хозяйством, как и садом, занималась двоюродная сестра Димы — Надя.

И все же... Нет, нет! Никакой это не ящик! Это самый настоящий гроб!

Вскоре вернулся водитель, сел в микробус и уехал. Ворота Григорий запер, все стало тихо, словно Глаше все это действо с гробом вообще привиделось.

Но гроб-то был! И что теперь делать? Может, вернуться, позвонить и попытаться выяснить, зачем сюда привезли гроб? Но если Григорий скрывает смерть своей хозяйки (или кого-то другого), то разве он в чем-то признается? На территорию он точно не пустит, а ее, Глашино, появление и вопросы его только спугнут. Остается только надеяться на возвращение Ирены. Она-то общается с Григорием. Значит, Глаше надо бы встретиться с ней, поговорить, все объяснить... Но у Ирены сейчас голова занята совершенно другими проблемами, собственными! Чувствуя свою вину перед братом за то, что она позволила Лене сбежать из дома и скрыться в неизвестном направлении, она только разозлится на Глашу за то, что та пытается втравить ее в какую-то другую, чужую историю. Подумаешь — гроб! Да, может, у этого Григория околела любимая собака и он решил похоронить ее в гробу?

А что, если Григорий похитил Лену?!! Что, если его хозяйка выставила дом на продажу, у Григория, сторожа, таких денег, понятное дело, нет, вот он и решил украсть Лену, чтобы получить за нее выкуп?

А может... может, и Ирена тоже причастна к этому похищению? Или все они действовали заодно? Может, Лена тоже знакома с Григорием, ведь она часто бывала у тетки в Вязовке! Вот и составили план, договорились!

Но если все так и они все-таки не преступники, просто решили потрясти карманы Михаила Пирского, то откуда тогда взялся этот отрубленный палец?!!

Глафира решила позвонить Лизе и посоветоваться.

— О! На ловца и зверь бежит! — услышала она радостный голос Лизы. — Ты где? Еще в Вязовке? Давай возвращайся! У Геры Турова сегодня день рождения! Однако не мы, а он нам преподнес подарок!!!

— Лиза, надо поговорить...

— Все потом! Вот приедешь и сама все поймешь! Все, пока, жду тебя, Глаша!

9

Герман Туров, судмедэксперт, находился в некоторой растерянности.

Происшествие, которое случилось с ним этим утром, едва он принялся за работу, с одной стороны, огорчило его, с другой, как водится, — обрадовало.

К нему пришла одна его знакомая, Лера Крупенникова, с матерью которой он почти пять лет проработал вместе в лаборатории, и сказала, что у нее к нему есть очень серьезный разговор.

Лера была красивая двадцатилетняя девушка, жизнерадостная, с хорошим чувством юмора. Больше всего на свете любила анекдоты на темы смерти и гастрономические. Воспитанная мамойсудмедэкспертом, предпочтение отдавала черному юмору.

— Гера, привет! — Она стремительно вошла к нему в секционную, нисколько не смущаясь от того, что застала его в маске, перчатках, орудующего над очередным трупом. — Скажи, когда вы последний раз меняли замки в морге?

— Лера, детка, привет! Тебе не кажется, что такой приличной девушке, как ты, не следовало начинать день с вопросов, связанных с моргом?! Ты что, продаешь оптом английские замки? Или китайские? Если китайские...

— Гера, я не шучу. Вчера я похоронила свою подругу... Мне неприятно об этом говорить, но ее тело нашли на мусорной свалке... Ее изнасиловали и убили какие-то подонки.

Герман сразу понял, о ком идет речь, как понял и то, что на этот раз Лера не шутит. И как он сразу не заметил припухлости ее век? Конечно, она плакала, притом много!

— Марина Варфоломеева, да, это я работал с ее телом, — сказал он. — Значит, она твоя подруга? Мне очень жаль.

— Да... Возвращалась вечером от родственников, около нее остановилась машина, словом, увезли эти сволочи ее куда-то за город... Ужасная история! Вот так идешь по улице и не знаешь, доберешься ли до дома... Я вообще вечерами предпочитаю не выходить.

— Ты пришла узнать подробности?

— Нет-нет, вот этого мне точно не хотелось бы знать. Достаточно того, что я увидела ее в гробу! Но как же это все несправедливо, нелепо!!! Уф... Короче, Гера, это очень тяжело. Но я к тебе с другим вопросом... Послушай, в ее случае не было... как бы это поточнее выразиться... членовредительства?... Нет, не то! Спрошу проще: Гера, у нее были ли все пальцы на руках?

— Да, все. Что за вопрос?

— Понимаешь, тело забирала ее тетя, потому что Полина Андреевна, Маринина мама, никакая, она в лежку лежала перед похоронами, а на сами похороны ее накачали чуть ли не наркотиками, чтобы она хотя бы до кладбища доехала... Отец Мариночки в реанимации, у него сердце... Так вот, тетя приехала за Мариной, ее уже к этому времени одели, загримировали, все как положено. Положили в гроб, ну и никто не обратил внимания на то, что у нее нет одного пальца. Мизинца левой руки.

— И кто же заметил?

— Как кто? Я, конечно! Хотела цветы на ее груди поправить и вдруг увидела, что нет пальца... Зрелище страшное... Я маму потихоньку позвала, а у нее-то глаз наметанный, она сразу шепнула мне, что палец отрезали, когда она уже мертвая была. Что это вандализм и все такое. Уже в столовой, где проходили поминки, мама рассказала мне случай из своей практики, когда у мертвеца отрезали палец, вернее два пальца, чтобы преступники воспользовались ими, оставляя отпечатки на оружии. Ну и высказала предположение, что и у Марины тоже отрезали, чтобы как-то использовать.

— Понятно теперь, почему ты спросила про замок на входной двери морга. В сущности, в морг может зайти кто угодно и сделать тоже все, что угодно. Особенно в вечернее время, когда мы все расходимся по домам, а сторож, к примеру, пьет чай у себя в подсобке.

— Мама подсчитала, что палец могли отрезать примерно два дня тому назад. Потому что до этого, когда Марину приходили опознавать ее родители, у нее наверняка было все в порядке... Иначе бы они заметили. В порядке... — грустно усмехнулась она. — Если так вообще можно выразиться применительно к этому случаю.

Герман пообещал Лере разобраться, кто бы мог проморгать и допустить, что в морг вошел посторонний. Но, когда дверь за Лерой закрылась, он открыл холодильную камеру и с видом фокусника извлек оттуда «палец Лены». То, что этот палец не имеет никакого отношения к Елене Пирской, он выяснил еще рано утром, когда были готовы анализы. Визит же Леры расставил все по своим местам. Вряд ли в городе найдется еще один труп девушки с отрезанным мизинцем. Выяснять, действительно ли этот палец принадлежал Марине Варфоломеевой, смысла не было. Да это никому и не нужно. Но и в подобные совпадения он тоже не верил.

Решив обрадовать Лизу, что с Леной Пирской, скорее всего, все в порядке, он хотел уже позвонить ей и сообщить об этом, когда взгляд его упал на настенный календарь, и он вспомнил, что у него сегодня день рождения.

— Лиза, привет, это я! — радостно поприветствовал он ее по телефону. — Жду вас с Глашей в два часа на праздничный обед в честь моего дня рождения! И Дениса своего берите!

— По телефону, значит, сказать не можешь, не решаешься, — разочарованно протянула Лиза, явно переживавшая за судьбу Лены и сначала почему-то не обратившая внимания на веселый тон Германа. — Или... Постой...

Вот и ее нежный голосок зазвенел!

— Гера, ну, говори же!!! Это не ее палец? Не ее?

— Приезжай, все расскажу. Заодно и выпьем!

— Ладно, уговорил. Даже если ты выдумал свой день рождения только с тем, чтобы заманить меня к себе, я все равно приеду. И возьму всех своих. Тем более что и Глаша, и Денис славно поработали. Ну и заодно обсудим интересные события...

Гера сбегал в ближайший магазин, купил закусок, вина, вернулся, быстро накрыл на стол и стал поджидать гостей. Время шло, он сидел, курил в задумчивости, представляя себе, как сейчас придут его друзья, о чем будут говорить. И тут ему в голову пришло позвонить студенту-медику Славе Коротичу, который вот уже два года подрабатывал в морге, гримируя и бальзамируя покойников.

— Привет, Славка! Как поживаешь?

— Да нормально, — отозвался «гример», называющий себя гордо — «танатокосметолог». Судя по шумовому фону, Слава ехал на машине. — Вот, еду домой в счастье и радости! Купил себе, елыпалы, ноутбук!

— Поздравляю! Скажи, это ты гримировал девушку, вернее, тело девушки по фамилии Варфоломеева?

— Ах вон ты о ком! Да, я. Красивая была девочка. Ее лицо было сильно повреждено, и мне пришлось изрядно поработать над ним...

— Я не об этом, Слава. Скажи, когда ты работал, ты не заметил, у нее были все пальцы на руках?

— Что за вопрос?! Да, конечно. Этих извергов меньше всего интересовали ее пальцы, как ты понимаешь.

— Дело в том, что, когда ее хоронили, мизинец на левой руке отсутствовал.

— Ничего себе! Поверь, это не я, если ты об этом!

— Я понимаю. Когда ты закончил работу, ты сразу ушел или...

— Я провозился с ней почти два часа! Был поздний вечер, и я, конечно же, отправился домой.

— Дверь морга была открыта?

— Да, конечно. Обычно ее запирает сторож, Яков Михайлович. Ты думаешь...

— Думаю, что какое-то время дверь была не заперта и в морг вошел кто-то, кому понадобился ее палец.

— Но кому? Чертовщина какая-то?!

— Да нет, Слава, это не чертовщина. Просто кто-то отрубил ее палец, чтобы потом прислать одному человеку, у которого пропала дочь. Девочку похитили и попросили выкуп, а чтобы показать родителям, насколько все серьезно, прислали этот палец!

— Ну и дела! Тогда тебе точно надо обратиться к сторожу.

— Я так и сделаю. А ты никому не говори об этом, хорошо? Ну, пока, Слава! Еще раз поздравляю с покупкой ноутбука!

Яков Михайлович чаевничал у себя в подсобке. Баранки, варенье. Маленький телевизор был включен, шел фильм про войну.

— А, Гера? Заходи. Налить тебе чайку? У меня липовый!

Сторож был старичком с веселыми глазами и широкой зубастой улыбкой. Гера сам одалживал ему деньги на протезы.

— Михалыч, скажи, два дня тому назад, поздно вечером, сюда никто не приходил?

— Ты, наверное, хочешь спросить: не привозили ли сюда нового жмурика?

— Из секционной кое-что пропало.

— Ба! — Михалыч вытаращил глаза. — Что? Что может пропасть из секционной?

— Так приходил кто или нет?

— Да нет, конечно!

— А когда ушел Слава-гример, помнишь?

— Если честно, то нет... — растерялся старик. — Понимаешь, мне жена курочку жареную на ужин положила. Так я так наелся, что, признаться, прикорнул. А когда проснулся и посмотрел на часы, было уже половина первого ночи. Ну я встал, обошел свои владения, все тихо-спокойно, да и запер двери. Вернулся к себе, по телевизору как раз показывали футбол... Так я до трех часов его смотрел, а потом — на боковую! А что пропало-то? Какой-нибудь дорогой инструмент?

— Может, днем был кто чужой?

— Ну, приходили родственники одной покойницы, приносили одежду, я положил в шкаф, как водится. А с утра так вообще было много чужого народу. Студенты!

— Много студентов?

— Да человек семь-восемь, из мединститута. Хорошие такие девчонки... Все хорохорились, делали вид, что не страшно. Но одной, правда, поплохело. Так коллега твой, Семен Ильич, дал ей нашатыря да и уложил вот сюда, ко мне на диван.

— А ты где в это время был?

— Да здесь же и был.

— Куда-нибудь отлучался?

— Гм... Конечно, отлучался! Но буквально на пару минут, чтобы набрать в чайник воды. А что?

— Как выглядела эта барышня, которой стало плохо и которая оставалась в твоей каморке пару минут, в течение которых могла бы подсыпать в твой заварочный чайник снотворного?

Михалыч с тревогой взглянул на Германа:

— Ах вон ты куда клонишь, Гера! Что я могу сказать — ты ошибаешься. И знаешь почему? Потому что даже если эта барышня и замыслила усыпить меня, то откуда ей было знать, когда я буду пить чай?

— Тоже правильно. И что же получается? Так, постой... Ты ужинал когда?

— Часов в шесть или в половине седьмого, когда все ушли.

— И проспал до половины первого! Раньше с тобой такое бывало?

— Нет! — Сторож задумался. — Может, и правда мне в чай что-то подсыпали? Но кто, когда?

— Кто — мы пока не знаем, а вот когда — вычислить нетрудно. Вот если бы ты решил усыпить сторожа, то как бы это сделал?

— Ну, все сторожа любят выпить... Вернее, попить чайку. Если водочки или вина, то это проще простого — раз, и насыпал в бутылку! Но вот в заварочный чайник или в простой чайник...

— Скорее всего, в заварочный.

— Ой, погоди! Вот дурья башка! Я же пил чай из термоса! У меня же там липа заваривалась!

— Скорее всего, туда тебе и подсыпали снотворного. И сделали это не днем, когда были студенты, а вечером, потому что преступнику надо было, чтобы ты отключился как раз в промежутке между семью-восемью часами и полночью. Когда в морге никого нет и можно делать все, что захочется. Ты же сам говоришь, что никто не знает, когда именно ты будешь пить чай.

— Так, может, кто-то остался в морге после того, как все ушли? Вернее, все наши ушли, а кто-то чужой остался. И это необязательно та барышня, которая лежала у меня на кушетке. В принципе, в морг днем мог зайти, повторяю, кто угодно и спрятаться тоже где угодно. Да хоть во второй холодильной камере, которая отключена! Или в вентиляционном помещении? Или вообще в неработающем втором лифте!!!

— Вот и я тоже так думаю. Так как выглядела эта студентка?

— Обыкновенная такая, рыжая, в очках!

Послышались голоса, топот ног. Герман вышел из подсобки и увидел направляющуюся к нему делегацию. Впереди шла Глафира с большим букетом сирени. Потом Лиза, Денис. Все нагруженные пакетами, коробками!

— Поздравляем! — хором сказали они. Потом, вероятно, осознав, что находятся в морге, уже шепотом повторили: — Поздравляем с днем рождения!!!

— Сирень из Вязовки, — сказала Глафира, устраивая букет в большой вазе, которую нашла на террасе, где выдают тела. Вытряхнув оттуда искусственные цветы, которые должны были украшать часть последнего пути покойника из морга до кладбища, Глаша налила туда воды и поставила сирень.

Лиза тем временем с помощью Дениса выгружала из пакетов закуски: ветчину, сыр, рыбу, фрукты, шампанское.

Тарелочка с колбасной нарезкой, шпроты и маленький бисквитный торт, приготовленные самим именинником, показались более чем скромным угощением.

— А у тебя тут сегодня тихо, — сказала Лиза, когда приготовления к празднику были закончены и все расселись за столом. — Кажется, нам повезло! Ну что ж, Герочка, давай выпьем за тебя, за твои красивые синие глаза, твою улыбку, мозги и золотые руки! Мы тебя очень любим и ценим!

— Поддерживаю, — сказала Глаша. Обычно веселая, сегодня она выглядела несколько растерянной, словно ее что-то угнетало.

— С днем рождения, Герман! — произнес торжественно Денис, тоже мысленно находящийся где-то в другом месте.

Лиза, перехватив удивленный взгляд Германа, пояснила:

— Они в теме, понимаешь? Работают. У них головы забиты до макушки, и они пытаются все переварить...

— Я мог бы помочь, так сказать, попытаться посмотреть на все свежим, незамутненным взглядом, — предложил Герман. — Тем более что и моя голова сейчас занята кое-какими мыслями, связанными с отрубленным пальцем.

Все замерли, уставившись на него.

— Главное — этот палец не имеет никакого отношения к Елене Пирской!

— Минутку! — взволнованная Лиза достала телефон и набрала номер: — Михаил? Это Травина. Палец не Ленин. Поэтому успокойтесь. И, пожалуйста, позвоните Ольге, успокойте ее! Да пока не за что... Я вам потом перезвоню. Уверена, что скоро появятся реальные результаты. До свидания. — И, обращаясь к Герману: — Ну что ж, заинтриговал! Рассказывай!

— Я тоже считаю, что сонный порошок подсыпала та девушка-студентка, — высказала предположение Глафира после рассказа Геры. — Она же увидела комнату, где обитает сторож Михалыч. Или же в морге еще есть место, куда бы ее могли уложить, пока она была в обмороке?

— Да в том-то и дело, что его комната находится ближе всего к секционной. И, как правило, если кто-то грохается в обморок, всех несут к нему. У него там диван, а в шкафчике он держит пузырек с нашатырем.

— Что, если эта группа студентов там уже была, раньше и эта девушка-студентка уже знала, куда отнесут находящегося в бессознательном состоянии человека?

— Конечно, скорее всего, так оно и было, — согласился Герман. — Остается только вычислить эту студентку. Я могу позвонить одному своему знакомому в мединститут, объясню ситуацию и попрошу прислать мне список студентов, которые посещали морг два дня тому назад. Значит, договорились — это я беру на себя! Я же понимаю, что если мы узнаем, кто усыпил Михалыча, то выясним, кто проник ночью в морг и откусил, предположительно кусачками, палец несчастной девушки — Марины Варфоломеевой.

— Да уж, Гера, тогда ты бы нам здорово помог! Ведь от этой студентки потянется ниточка к тем, кто похитил Лену Пирскую, — сказала Лиза.

— Значит, вы не поверили, что похищение организовала сама Лена? — спросил Денис.

— Гера, — обратилась Лиза к эксперту, — я объясню. Дело в том, что есть свидетель, который утверждает, что подмену колясок организовала девушка, которую звали Лена Пирская.

И она рассказала Герману историю с выкупом и пропавшими деньгами Пирского, который положил их в детскую коляску.

— Пятьдесят на пятьдесят, — прокомментировал ситуацию Герман. — Это могла быть сама Лена, но что-то мне все-таки подсказывает, что это не она... Ведь если она сама все спланировала, придумала, разве стала бы светиться перед хозяйкой квартиры, называя свою фамилию?

— Я тут кое-что проверил, — сказал Денис. — Женщина, хозяйка квартиры, сказала мне, что эта самая Лена, делясь с ней своим планом, сказала, откуда у нее эта идея с коляской. Она просто вспомнила, как, когда она была маленькая, ее мама перепутала коляски и пошла на прогулку с соседским ребенком. Так вот, я поехал к Ольге

Пирской, чтобы задать ей вопрос, действительно ли было такое.

— Ты был у Ольги? — удивилась Лиза. — Но когда?

— Я только что оттуда.

— И как она там?

— Ужасно. Плачет. Я задал ей этот вопрос, так у нее вообще случилась истерика. Но я должен, должен был задать ей этот вопрос! И знаете почему? Не только для того, чтобы проверить эту информацию. Ведь этот случай из детства Лены свидетельствует о том, насколько и тогда ее мать, Ольга, была невнимательна, раз даже не взглянула, кто был в коляске.

— И что? Что же теперь получается? — нахмурила брови Глафира. — Значит, похищение действительно спланировала сама Лена?

— Или кто-то, кому она когда-то рассказала об этом случае, — сказал Герман.

— К сожалению, я не успел навестить ее близкую подругу, Наташу Каленову. Быть может, она расскажет что-нибудь интересное. Просто я закружился с этими колясками, — признался Денис.

— Но ты очень много успел сделать, — сказала Лиза. — Сейчас вот отдохнем немного, посидим тут с Герой, и отправляйся к Каленовой.

— Да я вот торт доем и поеду, — улыбнулся вымазанными кремом губами Денис. — Мне и самому уже не терпится поскорее разобраться со всем этим. Какое интересное дело!

— А я в Вязовке была, — сказала Глафира. — И привезла оттуда не только букет сирени.

Она рассказала о своем визите в сельскую библиотеку, знакомстве с Катей Чибиревой, она же «Эстер», показала Лизе распечатку разговоров Кати с Леной Пирской.

Лиза пробежала глазами по тексту.

— Чушь полная! Разговоры ни о чем. Стоит пробежать глазами по строчкам, становится все ясно: эта «Эстер» считает фильм с Кирой Найтли искажением подлинного романа Толстого, Лена же считает, что Найтли доросла до этой роли, что Самойловой до нее далеко, что Самойлова фригидна, что у нее каменное лицо и полное отсутствие чувств! Нет, похоже, что в Вязовку ты ездила напрасно. К сожалению! Однако...

— Лиза, у меня есть еще кое-что. Неподалеку от этой библиотеки есть один дом, он стоит на самой окраине...

И Глафира рассказала все, что ей удалось узнать о стороже Григории, и о микробусе, который привез гроб.

— Гроб?

— Понимаете, я бы, может, и не придала значения этому, но ведь в доме, кроме сторожа, как будто никто больше не живет. Тогда для кого гроб? Если предположить, что умерла его хозяйка или кто-то из членов ее семьи, то зачем было везти гроб в Вязовку? В пустой дом?

— Глаша, может, ты и права, и здесь имеет место преступление, но что мы можем сделать? Обратиться в полицию? — спросила Лиза. — Или ты чего-то не договариваешь?

— Просто я подумала, — неуверенно начала Глафира, — что Ирена, ее поведение, ее попытка скрыть то, что она знала о побеге племянницы... То есть она была в курсе и молчала, зная о том, как переживает ее брат. И эта же Ирена дружит с Григорием, человеком, который сегодня привез гроб!

— Думаешь, они убили Лену? — Денис судорожно сглотнул и чуть не подавился куском торта. — Ты что, Глафира?!

— Ну, может, и не убили, может, она заболела и умерла. Или же с ней произошел несчастный случай. Но вы сами сопоставьте факты: Лены нигде нет! Тетка долгое время скрывала от ее родителей ее бегство! Григорий, который дружит с Иреной, привозит в Вязовку, в дом, в который пускает, по словам Кати, только ее одну, не считая, конечно, хозяйки, гроб! Разве все это не странно? Ты вот, Глаша, будь у тебя родная сестра, разве не рассказала бы ей о том, что твоя дочь, к примеру, сбежала из дома?

— Ты понимаешь, не всегда между сестрами существует душевная близость, — заметила Лиза. — Если ты хочешь знать мое мнение вообще по поводу родственников, то оно у меня твердое: кровь не играет большой роли в отношениях людей. Вот так! И примеров тому я могу привести великое множество. Подчас люди общаются и дружат до самой смерти по географическому принципу, как я это называю; скажем, подружились, когда жили в одном доме, на одном этаже, на одной улице и так далее. Или же просто случайно знакомятся и потом преданы друг другу всю жизнь. А вот родственники убивают друг друга из-за наследства или по каким-то другим причинам, ненавидят друг друга и только портят друг другу кровь. И вообще это отдельная тема, и когда я начинаю об этом говорить, то завожусь, и меня трудно остановить... Но все это я рассказала, конечно же, применительно к отношениям брата и сестры Пирских. Ирена и Михаил. Ирена была привязана к своей племяннице больше, чем к брату. Она реально видела, как живет подросток, как девочке трудно и одиноко, вот и прониклась к ней теплым родственным чувством. А Пирского решила проучить, захотела, чтобы он прочувствовал, как это плохо — без дочки, чтобы вспомнил о ней, наконец! Я уж не говорю об Ольге, которую кто только не пинал, не обвинял в эгоизме из-за этого замужества!

Я понимаю, Глаша, куда ты клонишь. Ты предполагаешь, что этот гроб предназначается для Лены! И что ее родная тетка знает, что племянницы нет в живых, и продолжает разыгрывать полное неведение?

— Нет, конечно, и эта версия тоже кажется мне бредовой. Но, Лиза, сколько бредовых версий было выдвинуто за все время нашей с тобой работы — немалый, скажу я тебе, процент, — и срабатывали именно они! Казалось бы, полная чушь, невозможно предположить, что именно этот замечательный и добрый с виду человек замешан в убийстве. Однако, признайся, как часто оказывалось, что убийца именно тот, на кого меньше всего падает подозрение!

— Поверь мне, Ирена — чудесная женщина. И если в доме ее приятеля Григория, сторожа этого, как ты называешь...

— «Ивового дома», — подсказала Глаша.

— Именно! Если в этом «Ивовом доме» и произошло нечто, пусть даже и преступление, то не факт, что Ирена в нем замешана. Но съездить туда, проверить, было бы неплохо, а, Денис?

— Я готов! — Денис промокнул салфеткой рот, допил яблочный сок, который заменил ему праздничное шампанское. — Вот только навещу все-таки эту Каленову.

— Вот и договорились. Ты же, Глашенька, выясни все о хозяевах «Ивового дома», об этом стороже Григории, кто он такой, семейное положение, покопайся в его прошлом... Надо выяснить, для кого он припас гроб. Я же, в свою очередь, поеду к Михаилу Пирскому, думаю, что Ирена еще у него, поговорю с ней тоже об этом Григории. Может, она расскажет нам, зачем ему понадобился гроб.

Дверь распахнулась, и вошел взмокший санитар Федор. Высокий, нескладного телосложения парень деревенского типа.

— Герман Львович! — прогремел он на весь морг. — Там это... Привезли... Утопленница! И знаете чего? Я ее знаю.

Он произнес это даже с гордостью.

— Что, Федя, она твоя родственница? — Герман недоверчиво покосился на санитара.

— Нет, но я ее по телику видел, вчера! Такая красивая... У нее муж — какая-то шишка, я не понял точно... А она оказалась шлюхой... Ох, извините... — Он прикрыл рот рукой. — Это я про шоу «Скелет в шкафу». Мы с сестрой каждую неделю смотрим. Она семечки жарит, потом мы сидим, смотрим.

— Вчера? — переспросила Лиза. — Мне-то телевизор смотреть некогда... А ты, Глаша, видела?

— Нет, но я могу спросить у Димы, кажется, они все вместе вчера смотрели телевизор, с мальчишками... Мне надо было в шкафу вещи перебрать, все зимнее наконец спрятать... У меня вообще катастрофически не хватает времени! Так я позвоню?

— Нет-нет, Глаша. Не надо никому звонить, я лучше спрошу у Сережи Мирошкина. Думаю, он все знает.

— Там, на набережной, столько народу было, все пришли посмотреть на нее... И журналистка тоже была, — продолжал вспоминать Федор. — Все говорили про это шоу. Это же она после него утопилась!

— Если хотите, пойдемте посмотрим, — нерешительно предложил Герман. — Правда, наверняка зрелище не для слабонервных.

Тело уже внесли в комнату, и теперь в солнечном свете, заливавшем все помещение, можно было увидеть закутанную во все черное, мокрое, с совершенно белым, словно отлитым из гипса телом, молодую женщину с длинными темными волосами.

— Глаша, это же, господи, жена Тунцова, Лариса, — дрогнувшим голосом проговорила Лиза. — Я знакома была с ней... Боже, зачем она это сделала?.. У нее же дети!!!

10

Она научилась не думать о плохом. Просто отключала часть мозга, отвечающую за определенную информацию. Иначе можно сойти с ума. Однако, оказавшись в ванной комнате, спрятавшись от мужа, Инга, дрожа всем телом от страха и унижения, от стыда и всего того кошмара, который навалился на нее, буквально согнулась пополам, словно от физической боли, и сползла на пол, закрыв лицо руками.

Другая, нарочно забытая трагедия обрушилась на ее голову и придавила ее словно могильной плитой. Да так сильно, что она застонала. И сидела так, раскачиваясь из стороны в сторону, не зная, что с ней будет дальше и как она вообще все это переживет!

Но она — не Лариса Тунцова, она сильная, она должна жить дальше! Этому ее учил отец, этому ее учила сама жизнь! Идти по жизни с высоко поднятой головой, чего бы ей это ни стоило! Нечаев! Интересно, а как бы он сам поступил, какие чувства бы испытывал, если бы утопился кто-нибудь из героев его шоу? Скорее всего, просто напился бы! И неизвестно еще, как сложились судьбы всех тех, кого разоблачал он. Может, кто-то тоже порезал себе вены или повесился?! Просто им об этом ничего не известно.

Нечаев. Что он себе вообще позволяет?! Он сильно изменился с тех пор, как к нему пришла известность. Он забыл, что его карьера начиналась с ее помощью и деньги на первый проект ему дал ее отец. Сейчас же, когда он стал богат и знаменит, он все забыл и позволяет себе оскорблять Ингу, обзывает ее самыми последними словами, пытается унизить.

Происшествие, связанное со смертью Ларисы Тунцовой и всем тем кошмаром, который произошел с ними в ресторане, все это как-то отодвинулось на задний план, уступив место самой настоящей трагедии, которая нависла над головой Инги атомным облаком! Этим испепеляющим, смертоносным черным грибом!

Вероятно, *там* уже все закончено. И она должна позвонить Григорию, поговорить с ним.

Дрожащей рукой она достала из кармана телефон и набрала номер.

— Григорий? Это я... — Голос ее, казалось, тоже переживал, волновался и охрип, словно у него была душа. Она попыталась взять себя в руки: — Ну, что там? Как? Ты все сделал, как мы договаривались?

Он отвечал ей чуть ли не по пунктам, отчитывался тихим, спокойным голосом, как обычно. Просто бесценный человек!

Она слушала, представляя себе отчетливо все то, о чем он ей говорил.

— Под старой яблоней, в самом конце сада, как мы договаривались, да? — переспросила она, и голос ее при этом предательски дрожал. — Я приеду, может, сегодня. Знаешь, ты даже представить себе не можешь, как я тебе благодарна за все! Понимаю, что у тебя ко мне будут вопросы, но ты должен знать: я не оставлю тебя без работы. Ты — чудесный, замечательный человек... А еще — верный, а это такая редкость!

Слезы хлынули из ее глаз.

— Послушай, — она перешла на шепот, чтобы ее никто не услышал. — Я должна тебя как-то отблагодарить... Скажи, что я могу для тебя сделать? Что? Ах, дом... Да, конечно. Больше того, я буду только рада расстаться с ним, сам понимаешь. Ты сможешь его выкупить... Хотя что я такое говорю?! Я тебе его просто подарю! Я позвоню Володе Никитскому, моему адвокату, и попрошу, чтобы он переоформил его на тебя. Пусть он подготовит дарственную, мы с тобой поедем к нотариусу и все сделаем. Думаешь, я не понимаю, как ты привязан к этому дому? Ведь там — вся твоя жизнь, твои растения, цветы! Боже, как же я раньше не догадалась... Просто, знаешь, я подумала, что и тебе там не захочется оставаться... А может, я продам этот дом и куплю тебе другой? Ты не потратишь ни рубля! Может, тебе тяжело будет там находиться после всего, что там произошло? Что? Не поняла... Почему не можешь принять его в подарок? У тебя что, денег много? — Она слушала и хмурила брови, не понимая, как можно отказаться от такого роскошного подарка, каким был дом в Вязовке. — Собираешься продать квартиру, чтобы выкупить мой дом? Глупости! Ну, я не знаю... Ты же заслужил его!.. Как это? Ладно, Гриша, потом поговорим... У меня тут тоже столько неприятностей... — Она шумно выдохнула, как человек, вдруг внезапно осознавший, что огромная гора проблем свалилась с его плеч. Новые мысли завихрились в ее голове. События в Вязовке теперь сильно изменят ее жизнь, причем к лучшему! — Знаешь, Гриша, может, это и кощунственно прозвучит... Там же образуется земляной холмик, ну, я имею в виду могила... Я как-то была в лесу, ходила на лыжах и увидела могилу собаки. Так вот, там табличка такая деревянная и написано: «Марта». Вот и ты тоже сделай такую табличку, будто бы там захоронена собака. Мало ли что, чтобы не было лишних вопросов. Теперь же это будет твой дом, может, кто будет прогуливаться в саду и увидит... А так — скажешь, что собаку похоронил, и все вопросы отпадут сами собой. Гриша, ты чего замолчал? Я поняла, ты считаешь, что это жестоко с моей стороны? Но ты-то знаешь, что я сделала все, что могла... Столько денег и нервов я на это потратила... Ты не должен меня осуждать, не должен! Не смей! — закричала она и швырнула телефон на пол.

Несколько минут она просидела так, судорожно вытирая ладонями катящиеся слезы, потом встала, умылась. Посмотрела на себя в зеркало. Разделась и встала под душ. Надо смыть с себя всё, все страхи, унижения и проблемы. И жить дальше. С высоко поднятой головой!

Вот ее отец, он бы все понял! Обнял бы ее и успокоил. Он всегда говорил ей, что жизнь — жестокая штука, но надо продолжать жить, жить...

Она набросила на плечи халат и вышла из ванной комнаты. С горечью подумала о том, что ее муж даже не постучался в ванную, не спросил, как она там. И в эту же самую минуту она услышала его голос. Довольно громкий. Он с кем-то говорил по телефону.

Она быстрым шагом пересекла большой холл и оказалась в гостиной.

Нечаев стоял с растерянным видом посреди комнаты и, прижимая телефон к уху, кого-то дольно внимательно выслушивал.

— Да, я понимаю. Шанс... Пока не готов ответить, я должен поговорить с женой... Да, хорошо, спасибо вам за это предложение... До свидания. Всего хорошего!

— Ну что, кто звонил? — стараясь говорить беспечным тоном, хотя он получился скорее истеричным, нервным, спросила она. — Уж не Цилевич ли?

— Да... — Нечаев смотрел куда-то мимо нее, продолжая все еще находиться под впечатлением от разговора. — Ты сядь, Инга.

— А что он мог такого сказать, что ты боишься, что я упаду? Не переживай за меня, я в полном порядке. В сущности, мы не совершили ничего особенного... Хотя, конечно, Тунцову-то убила я! Ты-то как бы ни при чем! Да, Нечаев, ты же так думаешь?

— Ты успокойся и присядь. Речь пойдет не о Тунцове...

Волосы зашевелились у нее на голове. Страх, который преследовал ее все эти долгие годы, страх разоблачения, страх перед мужем, да и вообще перед всем человеческим обществом сковал ее.

— Ты, верно, удивишься, Инга, но этот эфир, — а я думаю, что это связано как раз с последним твоим эфиром, — возымел очень странное действие. Один из центральных московских каналов предлагает нам выкупить права на наше, то есть твое, шоу «Скелет в шкафу».

— Что-о-о??? — она не поверила своим ушам. — Ты, верно, шутишь, Саша?

— Да нет, не шучу. Можешь перезвонить Цилевичу, и он сам тебе все расскажет. Но перед этим нам с тобой предлагают принять участие в их шоу. Оно называется «Хлеба и зрелищ».

— Я знаю это шоу... Это авторская программа Валерия Журавлева.

— Цилевичу позвонил как раз редактор Журавлева, пригласил нас с тобой в Москву. Поездка, гостиница — все-все будет оплачено их каналом.

— Хочешь сказать, что на нас обратили внимание?

— А как еще я могу расценить эти предложения? Так как, соглашаться или нет?

— Ты имеешь в виду наше участие в их шоу или продажу моего права на «Скелет в шкафу»?

— И то и другое.

— Ну уж нет! Мы примем, конечно, участие в их шоу, но продавать свое я не собираюсь.

— Знаешь, он еще намекнул, что в процессе переговоров мы сможем договориться о том, чтобы ты сама переехала в Москву и вела там, на их канале, свое шоу. Правда, в этом случае тебе придется поделиться кое с кем... Ты бы слышала, как он нервничал, когда разговаривал со мной!

— Надеюсь, он был рад?

— Даже и не знаю... Ведь наш канал живет сейчас на рекламные деньги, которые поступают благодаря нам, нашим с тобой программам. И что бы простые люди ни говорили о нас, рейтинги у нас высокие...

— А какая тема будет там, о чем будет идти речь?

— Он сказал, что туда будут приглашены ведущие других скандальных ток-шоу с разных каналов, из разных городов. И тема будет «Скандалы, скандалы...», точнее, жизнь шоуменов, их проблемы, риски. Вот, к примеру, сегодня нас с тобой чуть ли не растерзали в ресторане, то есть реакция людей на наше шоу была просто потрясающей!

Мы с тобой рисковали если не своей жизнью, то уж точно здоровьем! У нас с тобой вообще опасная работа!

— А ты как считаешь?

— Я просто уверен, что мы должны с тобой поехать в Москву, хотя бы за пару дней до этого шоу, встретиться с нужными людьми...

— Возьмем Цилевича?! — Инга заблестела глазами. — У него же связи, он подскажет нам, куда и к кому пойти, что говорить... К тому же он лично знаком с Журавлевым!

— Да, конечно, он и сам открытым текстом сказал, что поможет нам.

— Саша, что же это получается?

— А получается то, моя дорогая, что мы с тобой победили! И что мы выросли из провинциальных штанов! Нас с тобой ждет столица! С нашими мозгами, с нашими острыми языками, зубами и здоровым цинизмом!

— А может, нам продать мое шоу, купить домик где-нибудь в Греции или Италии и уехать ко всем чертям, а? — Она кошечкой стала ласититься к мужу, пощипывая его за щеки. — А, Нечаев?

— Ты — сучка, Инга, но в самом хорошем смысле этого слова, и я тебя обожаю!

— Ну, если так... Но ты должен взять обратно все те грубые слова, которые ты наговорил мне сегодня днем...

— Ты извини меня, дорогая! Просто нервы...

— А у меня, конечно, нервов нет, да? — Она потерлась щекой о его щеку. — Ладно, проехали. Может, отметим наш успех?

— Где Маша? — спросил он шепотом, оглядываясь.

— В ванной комнате, прибирается. Как выйдет, я отпущу ее. Ну, так что — сбрызнем?

Вместо ответа Нечаев подошел к бару, взял бутылку виски, Инга поставила стаканы. Нечаев разлил янтарную жидкость.

— За нас?

Они чокнулись и выпили. Затем Нечаев плеснул еще по одной порции.

— Предлагаю не чокаясь...

— Неужели за моего папу?

— Да, он был классным мужиком, и я ему действительно многим обязан!

11

Наташа Каленова, высокая стройная девушка с черной блестящей челкой и высоким конским хвостом, увидев Дениса за столиком летнего кафе в центре города, где он ей назначил встречу, сразу же устремилась к нему. Поравнявшись с ним, широко улыбнулась, демонстрируя прекрасные белые зубки:

— А ведь это вы — Денис?

Учитывая, что вокруг было множество столиков, за которыми были и другие парни его же возраста, он смутился. Как она узнала его?

— У вас очень серьезное лицо, — словно прочтя его вопрос, ответила Наташа. На ней было черное, в белый горох, платье с большим вырезом. Чудесная, нежная девушка!

— Да, это я, — закивал он, смущенно улыбаясь. — А вы, значит, Наташа Каленова.

— Мне кофе с молоком, — бросила она подошедшей официантке.

— А мне просто черный кофе без сахара, — сказал почему-то Денис, хотя всегда пил кофе с сахаром.

— Вы хотите расспросить меня про Лену, да?

— Да.

— Знаете, что я думаю по поводу ее исчезновения? Лена — не тот человек, чтобы пропадать, тем более чтобы ее похищали. И это несмотря на то, что у нее очень богатый отец. Она никогда не влипала ни в какие истории, ни в чем никогда не была замешана. Она — серьезная и очень чистая девочка. И хотя у нас в лицее все знают, что ее похитили и даже уже вроде взяли выкуп, поверьте мне — все это подстроено кем-то. Но только не ею самой. Она любит своих родителей и никогда не пошла бы на такой отвратительный поступок. Да, безусловно, она была в некотором роде одинокой. Но ведь мы все одиноки! У меня вот, к примеру, родители тоже занятые люди, работают с утра до ночи, зарабатывают. Но я понимаю их. Думаю, что и Лена тоже не была в обиде на отца. Что же касается ее матери, то и здесь тоже мы говорили с ней, она относилась к этому ее браку с пониманием. Может, и скрепя сердце, но с пониманием.

— Значит, вы уверены, что это не она сама себя похитила из-за выкупа?

— Нет, и это даже не обсуждается! Зачем ей деньги, когда она имела все, что хотела? И даже если бы она захотела переехать, скажем, в Америку или Англию (а отец предлагал ей там учиться), то она и там получила бы все.

— Но сбежать из дома она могла?

— А вот сбежать, чтобы немного встряхнуть своих родителей, чтобы они хотя бы вспомнили о ее существовании, — да, на это она способна, это правда. Правда, как-то затянулось все это...

— Скажите, а мог кто-нибудь воспользоваться ее отсутствием, чтобы устроить весь этот цирк с похищением, выкупом?

— Знаете, у нас очень разношерстный класс. Все мы очень разные, и к Лене тоже относятся по-разному. Дело в том, что у нее обостренное чувство справедливости, и она, понимаете, никогда не промолчит, если видит, что кто-то кого-то незаслуженно обидел. Ну, вот такой пример. Дело было не так давно, в один из первых весенних теплых деньков. Мы все решили сбежать с урока физики. Нас словно воздух весенний опьянил. Вроде бы взрослые, все понимаем, но кто-то сказал: давайте сбежим, прогуляем урок в сиреневых посадках, разожжем костер, поедим жареных сосисок! И мы все, стадо баранов великовозрастных, решили бежать! Лена — человек компанейский, не крыса, вы понимаете, о чем я, да? Так вот, она встала в дверях и сказала, что не побежит. Потому что у преподавательницы, Марины Викторовны, недавно был нервный стресс, от нее ушел муж, оставив ее с маленькой дочкой. Сказала, что она хороший человек и что мы своим необдуманным поступком сделаем ей больно, что так нельзя... Понятное дело, что Лену никто не послушал. Все ломанулись на улицу... И все! Лена же пошла в супермаркет, купила торт, цветы, пришла одна на урок и сказала, что весь класс опьянел от весны и что они, то есть все мы, сбежали не потому, что не уважаем ее лично или ее предмет, а просто так...

— И как отреагировала Марина Викторовна?

— Она, к счастью, оказалась нормальной. Они с Леной съели торт, выпили чаю, поговорили по душам. Просто Лена как-то все сгладила...

— А вы тоже сбежали?

— Само собой! — улыбнулась Наташа, тряхнув красивой густой челкой. Синие ее глаза смотрели весело, дерзко.

— Может, есть кто-то из ее окружения, кто мог бы ей позавидовать и устроить это похищение с выкупом?

— Да мы всем классом думали об этом. Ничего такого никому в голову не пришло.

— А что с ее личной жизнью? У нее есть парень?

— Нет, она считает, что ей нужен кто-то постарше, поумнее наших баранов-сверстников. А еще она говорила, что мечтает о любви, не видит смысла встречаться с кем-то просто так, что все это глупости и отнимает много времени.

— Так, может, она встретила кого-нибудь постарше не в лицее и скрывала свой роман?

— От меня? Скрыла? Нет, это невозможно.

— Так что вы думаете? Что с ней случилось?

— Понимаете... Она девушка непростая. Она, кстати говоря, пишет стихи. Но не про любовь-морковь, а философского плана, такие мудреные. Сложные. Она вообще очень умная.

— Может, она с кем-то переписывалась по Интернету?

— Она «чатилась» с кем-то, но это же просто какие-то виртуальные знакомые, она их в глаза не видела! И у меня таких «осликов», как мы их про себя называем, полно. Пишут всякую хрень... я извиняюсь — чушь! Ничего серьезного!

— Наташа, но она пропала! Ее нигде нет! Судя по вашим словам, получается, что сама она не могла так жестоко разыграть родителей... Но, повторяю, ее нигде нет! Что вы сами можете предположить?

— Знаете, с одной стороны, я очень переживаю за нее, знаю, что в городе орудует какой-то маньяк, что одну девушку нашли изнасилованной и убитой на свалке... Слава богу, что это не Лена! Но, с другой стороны, душа моя почему-то спокойна. Не могу объяснить это, не знаю. Но я уверена, что она жива, что с ней все в порядке. Она, может, куда-то уехала, я не знаю... Может, у нее было такое душевное состояние, когда ей захотелось побыть совсем одной?

— Наташа, я, конечно, понимаю, женская солидарность и все такое... Но я же вижу, что вы все знаете про Лену! Вы с ней — близкие подруги! Она наверняка вам что-то рассказала! Ладно, пусть. Вы не можете никому ничего рассказать. Тогда хотя бы скажите — она в безопасности? Только это! И мы сразу все успокоимся! Больше того, я пообещаю вам: никто не узнает, что это информация исходит от вас.

Наташа смотрела на него широко открытыми блестящими глазами, такими синими, что даже белки глаз казались голубоватыми, и во взгляде ее читались растерянность, сомнение и масса других, сопутствующих этому состоянию, чувств.

— Ну же, Наташа! Решайтесь! Я понимаю, что ваш материнский инстинкт еще крепко спит, но если бы у вас была дочь, которая пропала, я уверен, вы бы много дали за информацию о том, что она хотя бы жива.

— Да, — выдохнула, наконец, Наташа. — И с ней вообще все в полном порядке.

Щечки ее стали ярко-розовыми. Денис откровенно любовался девушкой, и ему меньше всего хотелось, чтобы они расстались. К тому же, подумал он, почему бы не попробовать и дальше порасспрашивать ее?

— Значит, я могу сообщить ее родителям, что никакого похищения не было?

— Да, — она резко тряхнула головой в знак согласия. — Вернее, может, оно и было, да только Лена не имеет к этому никакого отношения.

— Наташа, где она? С кем? Почему молчит?

— Я вам так скажу: ничего конкретного Лена мне не говорила, все какими-то загадками. Думаю, она щадила меня, хотела, чтобы хотя бы я знала, что с ней все в порядке. Говорила о каких-то переменах в жизни, что ей надо во всем разобраться, побыть одной. — И вдруг она заметно оживилась: — Послушайте, у меня же тоже есть глаза, уши, я тоже живой человек и многое понимаю, даже когда мне ничего не говорят. Так вот, последние месяцы Лена от меня что-то скрывала. А что может скрывать молоденькая девушка? Только большую любовь! Она то нервничала, то смеялась, казалось бы, без видимой причины, то упорно занималась собой, ходила к косметологам, даже пластическим хирургам, ей казалось, что у нее недостаточно высокие скулы или полные губы. Она бывала то недовольна собой, то, наоборот, ходила с высоко поднятой головой, понимая, что она очень красива, и в эти минуты я радовалась, глядя на нее. Понятное дело, что я отговорила ее от похода к хирургам — глупости все это!

— Но вы же не могли не заметить парня, с которым она встречается!

— Да в том-то и дело, что рядом с ней никогда никого не было. И вот сейчас, когда она исчезла, пропала, я понимаю, почему так случилось... Ей есть что скрывать, понимаете? Вернее, есть кого скрывать! То есть у нее, я так предполагаю, роман с человеком, с которым она не может появиться на людях! Однако она с ним встречается, это точно!

— Вы думаете, что это... — Тут и до Дениса начало доходить, кого Наташа имеет в виду.

— Да, вижу, что и вы тоже догадались — Валентин Иванов, муж ее мамы. Только в этом случае она могла бы себя так вести.

— Получается, что она не то что встречается с ним, даже живет! А Ольга, ее мать, ни о чем не подозревает. Отцу Лена никогда не могла бы признаться в связи со своим как бы отчимом... И получается, что Лена сама себя загнала в угол! И теперь не знает, как ей жить дальше!

— Но если предположить, что у них все серьезно, то почему бы не объявить об этом матери, родителям, а, как вы думаете? — спросил Денис.

— Ха! Серьезно?! Объявить матери! Да это же скандал!!! К тому же, может, для Лены это и серьезно, но вот для этого красавчика художника уж точно нет! Думаете, он не понимает, что с ним будет, если тетя Оля узнает о том, что он крутит любовь с ее дочкой? Во-первых, она лишит его денег, во-вторых, сделает все возможное, чтобы разрушить его карьеру. Или просто убьет его. Я бы лично так и поступила!

— И все же, Наташа, ведь все это лишь ваши предположения? Я имею в виду ее роман с Валентином.

— Разумеется! Просто я подумала, что если бы Лена влюбилась пусть даже и в пятидесятилетнего мужчину, ну, знаете, всякое бывает, и знала бы, что ее родители будут против, то все равно рассказала бы мне. И знаете почему? Да потому, что все это было бы понятно. Любовь и все такое. И в этом случае ее отношения с этим мужчиной никак не касались, я имею в виду напрямую, ни матери, ни отца. Но связь с Ивановым — это уже попахивает предательством, это гадко, согласитесь.

— Гадко было бы с его стороны, — заметил Денис. — С Лены-то что взять? Она совсем юная девушка... Он вскружил ей голову, она влюбилась без памяти... Обычное дело.

— Да, вы правы...

— Постойте... Как же вы ловко провели меня! Вы пять минут тому назад сказали мне, что у нее все в порядке, что она жива-здорова, и в это же самое время вы всего лишь предполагаете, что у нее роман с Валентином. Но откуда-то вы знаете, что Лена в безопасности!

— Говорю же — чувствую!

Денис вышел из кафе в полном бешенстве. Похоже, эти синие глаза насмехались над ним, а он-то думал, что почти раскрутил девочку на признание. И откуда эти предположения о связи Лены с отчимом?

Хотя они небезосновательны. Действительно, в какие такие отношения могла вступить Лена, чтобы скрывать это даже от близкой подруги? Она могла скрыть, если бы, к примеру, начала встречаться за ее спиной с ее же парнем. Или если бы закрутила роман с Наташиным (конечно, это в порядке бреда!) отцом! То есть должна была быть причина, почему она тщательно скрывала ото всех свою реальную жизнь, возможно, свою любовь.

Или же Лена — лесбиянка? И этого тоже можно стыдиться, скрывать свои наклонности.

Получалось, что Денис только потратил время, разглядывая синие глаза. И чего они ему дались?! Почему они так и стоят перед его глазами?

Он резко вернулся в кафе. Наташа, сидя к нему спиной, разговаривала с кем-то по телефону. Он подошел тихо, чтобы она не услышала его шаги. Ему удалось услышать часть ее разговора:

— Ты бы видела, какие у него глаза! Серые! Помнишь про сероглазого короля? Я уже и не знала, что ему сказать, чтобы только подольше с ним поговорить... Ну да! А что, я сказала ему чистую правду, то есть высказала все свои мысли по поводу Лены! Конечно, у меня нет никаких доказательств, что она — любовница Валентина, но кто еще, как не он? Ты же сама видела, как она изменилась в последнее время! Как расцвела! Так можно выглядеть, когда влюблена. Наверняка забилась в норку, затаилась и не знает, что ей делать дальше! А может, еще к тому же и беременна! Ох, Таня... Он подумал, что я просто издеваюсь над ним, и ушел, даже не попрощался! Вот просто встал и ушел!!! — Она тихонько вздохнула, и плечи ее при этом трогательно приподнялись. Денис едва удержался от того, чтобы не обнять их. Он стоял и слушал, вернее, подслушивал чужой разговор.

Одно его утешало — Наташа не солгала ему, она действительно понятия не имеет, где скрывается ее подруга и что с ней.

Ему пришлось снова незаметно уйти и вернуться, только уже не скрываясь. С трудом подавляя улыбку, он сел напротив Наташи.

— У вас какого именно цвета глаза — фиалковые, цвета индиго или?..

— Да просто синие. Или голубые, — ответила она на его улыбку, краснея и пряча в ладони телефон. — Вы вернулись?

Очнувшись, она быстро проговорила в трубку:

— Я тебе потом перезвоню, у меня важная встреча!

У нее был вид ребенка, которого застали за тайным поеданием конфет.

— Послушайте, Наташа, вы сейчас очень заняты?

— Да нет... — Глаза ее заблестели. — А что?

— Вы не хотите составить мне компанию и прокатиться в одну деревню по важному делу?

— Это по какому же делу?

— Там и увидите.

— Надеюсь, к вечеру вы вернете меня в город, домой?

— Не обещаю, но постараюсь. Вы же знаете, я работаю на Елизавету Сергеевну Травину. Она поручила мне кое-что узнать... Словом, это будет рабочая поездка.

— Ну хорошо. Я согласна. Мой прикид подойдет или надо переодеться?

12

— И что, ты отказался принять у нее дом? Но почему? Гриша, я, конечно, все понимаю, но к чему эта твоя принципиальность? Речь идет о крупной сумме денег! Да, конечно, мне очень хочется переехать в Вязовку, дом, в котором ты столько лет проработал, прекрасный! У твоей хозяйки денег — куры не клюют, к тому же она сама предложила тебе его подарить. Гриша, не дури, соглашайся!

Мария поставила перед мужем тарелку с горячим картофельным пюре, говяжьими котлетами.

— Ешь, ешь и думай, анализируй, спроси себя, правильно ли ты поступил? Мы уже не молоды, скоро на пенсию. Неизвестно, что нас вообще ждет, а так мы жили бы в Вязовке, в собственном доме, а квартиру нашу, вот эту, сдавали бы, чем не прибавка к пенсии? А ты вот так взял и отказался! Да глупости все это!

Григорий с аппетитом набросился на еду. Какое-то время он, казалось, был занят исключительно ужином, потом, утолив первый голод, отпил компота из веселой, расписанной петухами и ромашками чашки и сказал:

— Да я и сам уже знаю, что погорячился. Думаешь, не понимаю, что уже только за то, что мне пришлось сегодня пережить, когда я выкапывал эту могилу, я заслужил этот дом...

— Ой, и не говори! Какая же она жестокая! Просто зверь! Да если бы она знала всю правду, она бы тебе не то что дом подарила, а всю Вязовку бы выкупила и отдала. Но ты же ей ничего не расскажешь? Ведь нет?

— Пусть сами уже во всем разбираются. Я свой человеческий долг выполнил. Только ты, Маша, и знаешь, каково мне приходилось, как трудно было постоянно врать, изворачиваться... Но мне словно сам Бог помогал, знаешь? Она мне последние три года верила уже просто на слово, ничего не проверяла, не контролировала. А если бы захотела взглянуть?

— Да в том-то и дело, что не хотела. Она — урод, понимаешь? И Бог ей судья... Еще котлетку?

— Мне Ирена звонила, ее брат с ума сходит. Надо что-то сделать, что-то предпринять.

— А где она сейчас?

— Здесь, в городе.

— Она ведь ничего не знает?

— Нет, она знает только, что Лена из дома ушла. А куда, что — не знает. Она и сама не предполагала, что история эта так затянется. Подумала: ну, проветрится девочка, поживет где-нибудь у подруги, потом успокоится и вернется домой. А она-то не вернулась!

— Но кто ж мог предположить, что так все выйдет... Что у них, оказывается, были свои планы. Может, ей все рассказать? Судя по тому, что ты мне о ней рассказывал, она женщина умная, достойная и уж точно умеет держать язык за зубами.

— Я бы так и сделал, но просто не имею права раскрывать чужие тайны.

— Я понимаю, — Мария прикусила губу. — Значит, для тебя все закончилось... Слава богу! Знаешь, Гриша, у меня из головы не идет эта табличка...

— Какая еще табличка?

— Ну, на могилке-то... Значит, там как бы похоронена собака?

— Да. Собака. Марта.

— Какой цинизм! Просто в голове не укладывается... — Она вздохнула, задумалась. — Знаешь, Гриша, а у моих тоже все неблагополучно. Такой скандал был, даже по телевизору показывали. Они, Инга с Нечаевым, были в ресторане. И туда же заявилась жена депутата Краснова. Оказывается, они были подругами — Краснова и Лариса Тунцова, ну та, которая с моста бросилась. И надо же было такому случиться, что, заглянув в ресторан, чтобы выпить, помянуть подругу, она увидела Нечаевых! Весь город гудит... Все обвиняют в смерти Тунцовой нашу сладкую парочку — Нечаевых. А я, как увидела их, когда они вернулись после обеда, все мокрые, в каких-то креветках, воняющие вином, никак не могла понять, что же с ними случилось! Но мне Курочкина, ты знаешь ее, позвонила и все рассказала. Такой стыд! Им бы уехать из города вообще! А они как-то быстро успокоились. Уж не знаю, что Нечаеву сказал по телефону Цилевич, а то, что это был он, я сразу поняла по тому тону, которым Нечаев разговаривал... Я в это время приводила в порядок ванную комнату после того, как оттуда вышла Инга, ты же знаешь, я рассказывала тебе, она все свои вещи оставляет прямо на полу, ей даже в корзину для белья трудно сунуть, да и вода повсюду, и зеркала забрызганы... Словом, мне не удалось подслушать их разговор. Но когда я вышла, увидела, как они, голубки мои, стоят обнявшись, со стаканами в руках. Из этих стаканов они всегда пьют только виски. Мне показалось, что они что-то отмечают.

— Интересно, что? Может, Цилевич позвонил, чтобы сказать про их высокий рейтинг?

— Скорее всего. Что для них смерть бедной женщины? Сломали ей жизнь. И разрушили жизнь самого Тунцова, ведь он до сих пор в реанимации. А если ему скажут, что его жена утопилась, так и он, может, того... не выдержит.

— Знаешь, я не первый год живу и знаю, что испытывает человек, который долгие годы пытается забыть свои прежние грехи и которого снова пытаются ударить лицом в дерьмо... У меня племянница тоже пошла по кривой дорожке, в Москве промышляла примерно тем же, чем и Тунцова. Но потом в нее влюбился один парень, бизнесмен, и женился на ней. Я тебе рассказывал. Конечно, он все знал про Надю, поскольку и был ее последним клиентом, поэтому ей нечего было скрывать, и она жила более-менее спокойно. Знаю, что она никого из прошлого и не боится. Но Тунцова...

— Знаешь, после этого злосчастного шоу тоже все поверили в то, что Тунцов знал, чем до замужества занималась Лариса, но на самом деле он просто сделал вид, что был в курсе. Чтобы поддержать свою жену. Он любил ее, понимаешь? Вот ты, Гриша, как бы поступил, если бы узнал, что я в прошлом была... Ну, ты понял...

— Во-первых, я никогда не пошел бы на такого рода шоу. Понятно ведь, что не просто так пригласили. Значит, хотят скандала.

— Ты понимаешь, у них там, в студии, не всегда дело заканчивается скандалом. Иногда, особенно в нечаевской программе «Открой глаза», людям как бы открывают глаза на обыкновенных, совершенно простых с виду людей, которые оказываются настоящими героями. Помнишь, в прошлом году приглашали парня, он весь обожженный... Потом оказалось, что он вынес из огня целую семью! Они его потом благодарили и даже предложили оплатить его лечение...

— Один процент из ста — подобные эфиры, — сказал Григорий, думая, как показалось Маше, о чем-то своем.

— Гриша, успокойся. Ты прямо весь на нервах. Это ты из-за дома?

— Да из-за всего, Маша. Знаешь, прямо не верится, что эта история наконец закончилась и я буду спать спокойно. Все, все закончилось!

Он встал, размял руки, потом несколько раз глубоко вздохнул и подошел к распахнутому окну.

— Ты даже представить себе не можешь, какая гора свалилась с моих плеч! Сколько времени я у нее проработал?

— Почти двадцать лет, Гриша.

— Помнишь, как мы сначала радовались, что я нашел высокооплачиваемую работу?!

— Конечно, помню. Тогда же безработица была страшная, вашу лабораторию закрыли, все заводы и фабрики посокращались... Я уж и не помню, где ты со своей Илоной познакомился.

— Нас же Рита и познакомила. Илона с Ритой лежали вместе в больнице, в одной палате, обе с аппендицитами. Ну, Илона сказала ей, что купила дом в Вязовке, что ей нужен сторож. Но не какой-то там старик или пьяница, а нормальный человек, физически крепкий, чтобы ухаживал за садом, топил камин, баню, ремонтировал время от времени дом, а когда она будет приезжать с гостями, умел приготовить шашлык, к примеру.

Вспоминая, Григорий мысленно унесся в прошлое, страшные картины, к счастью, не видимые Машей, проносились перед его внутренним взором, отчего он хмурился, и глубокая вертикальная складка посередине лба становилась еще длинней, трагичнее.

— А вот сейчас, если бы тебе предложили снова такую же работу, ты бы согласился? Сейчас, когда ты пережил весь этот кошмар?

— Сейчас — тем более да. И еще раз — да! И это просто счастье, что она нашла именно меня и что у меня есть двоюродная сестра Рита, которая мне помогала все эти годы.

— Ладно, Гриша, успокойся уже. Все позади. Как ты думаешь, может, мы, когда она оформит дом на тебя, съездим в Крым, к моим родным? Ты отдохнешь наконец. Двадцать лет без выходных — это не шутка!

— Да ладно тебе, Маша. Я же всегда мог приехать к тебе, под бочок, — он слабо улыбнулся. — Да и там мне в последнее время жилось относительно спокойно. Ты себе даже представить не можешь, как много я спал! Словно высыпался после всех этих бессонных лет!

— И?.. Что насчет Крыма?

— Давай сделаем так. Если я еще раз поговорю с Илоной и объясню ей, что просто погорячился, что готов принять дом в дар, то мы с тобой непременно поедем на море, может, в Крым, а может, и за границу. Если же она передумает, мало ли что, тогда мы продаем эту квартиру, выкупаем дом, переезжаем в Вязовку и спокойно будем выращивать помидоры...

— И я уйду от Нечаевых?

— Знаешь, во-первых, у нас есть кое-какие накопления. Во-вторых, я уже договорился кое с кем из соседней деревни, что куплю десять породистых коз. Обещаю тебе, что ты будешь заниматься исключительно домашними делами, всю живность — коз, гусей и кур — я возьму на себя. Как тебе такая перспектива?

— Думаю, все только выиграют, если я, к примеру, буду приходить к Нечаевым всего два раза в неделю. Вроде как и работа у меня есть, и времени свободного будет много. Ну и денежки, конечно!

— Тоже неплохо... Ты предложишь им, а там видно будет. Знаешь, им будет трудно найти другую такую преданную помощницу. А ты у них сколько уже работаешь?

— Да побольше твоего... Двадцать два года. Я за это время и институт заочно закончила, и могла бы пойти работать по специальности, да вот задержалась... почти на всю сознательную жизнь. Постоянный заработок, уверенность в завтрашнем дне... Может, это и глупо... Жаль, что у нас деток нет... Тогда бы все по-другому сложилось...

Григорий подошел к жене и обнял ее. Поцеловал ее щеки, губы, спустился к тонкому голубому воротничку домашнего платья, зарылся лицом в ее пахнущие шампунем волосы. Захотел сказать ей что-то очень важное, но в последний момент передумал и еще крепче прижал Машу к себе.

— Не плачь...

13

— Вадим, это очень скромный город, Тарб! Конечно, не на море, но все равно. Это в Пиренеях, недалеко от Испании. Смотри, что о нем написано: «Одним из достойных украшений исторического Тарба считается парк Масси, основанный в девятнадцатом веке. Его создателем был Пласида Массей — управляющий парками Трианона и Версаля. На парковой территории произрастают гималайские кедры, секвойи и ряд других экзотических деревьев. В старинном особняке с архитектурными элементами мавританского стиля расположен музей Пласида Массея, в залах которого выставлены работы живописцев эпохи Ренессанса...»

— Квартира, дом? Давай уже по теме...

Вадим, семнадцатилетний юноша с очень бледным лицом и копной спутанных темных волос, полулежал на диване, укутанный в плед, и выглядел очень больным.

— Вот! — щебетала Мила, его родная сестра, порывистая в движениях, словах и поступках молодая особа двадцати пяти лет. На ней был зеленый, в цвет глаз, махровый халат, затянутый на тонкой талии и распахнутый на груди до возможных пределов. Ее чисто вымытые черные волосы блестели при свете веселого солнечного дня. На стеклянном столике дымился кофе в двух маленьких чашках. Все видимое пространство комнаты было завалено туристическими буклетами и яркими иллюстрированными журналами о недвижимости в Европе и Франции, в частности: «...прекрасный дом во Франции, в г. Тарб, 145 м², 2 этажа, меблирован и оснащен всей бытовой техникой, камин (дрова во дворе), косметический ремонт, но это Франция — они ремонт делают раз в 50 лет, так что там вполне прилично, все чисто. Три санузла, много подсобных помещений, встроенных шкафов. 1-й этаж: 3 комнаты и кухня...»

— Слушай, мне опять плохо, дай мне твои таблетки от тошноты...

— Послушай, какие таблетки, если у тебя в желудке уже ничего нет! Вадя, это нервы! Если хочешь, снова дам тебе валерианки, а еще лучше просто возьми и выпей. Виски, к примеру. Или водочки тяпни!

— Да не могу я пить!!! Говорю же — тошнит! Тебе-то что, у тебя на уме только как поскорее смыться отсюда... Спишь и видишь, как купишь дом и успокоишься... А мне снятся кошмары. Этот морг, запах, и, самое ужасное, я слышу этот отвратительный звук, когда я... того.. кусачками... Понимаешь? И палец так: стук!

— Послушай, ее уже давно похоронили, все забылось. Денежки у нас. Все, что я... вернее, мы спланировали, все получилось! И эта старая грымза приняла меня за Лену! Я уверена, что до нее уже добрались, для этого не нужно много ума. Будут расспрашивать ее, кто да что, она, конечно, проболтается обо мне, на это я и расчитывала, ведь тетки вроде нее никогда не промолчат. И вот она скажет, что у нее была какая-то Лена, потом наверняка вспомнит и фамилию, проболтается, как пить дать, про коляски, и получится, что твоя Лена сама себя похитила! Уж если даже они и не поверят в то, что это была она, то, во всяком случае, мы выиграем время. Меня-то в городе уже не будет, да и в стране тоже!

— А эти девицы в морге, студентки?

— Да как они могут меня узнать, если видели всего один раз? И на мне был рыжий парик плюс очки! Я же сказала им, что с другого курса, что,

Анна Данилова

мол, работаю над собой, что надо привыкнуть к трупам, что надоело постоянно грохаться в обморок. Я же все продумала. Да, еще я назвала себя Женей!

— Да, сестрица, мозги у тебя работают. — Вадим укрылся плотно пледом, до самых глаз, словно в комнате было холодно. Его трясло. — Все равно боюсь! Ведь если вычислят тебя, то обязательно узнают, что у тебя есть брат, который учится в одном классе с Пирской...

— Да, я вот еще что вспомнила! Самое важное! Эта Аверочкина, ну, хозяйка квартиры, она же спросила меня, зачем мне все это нужно, и я рассказала эту историю, про мамашу Пирской, которая отправилась гулять с чужим младенцем! Ну, ту историю, которую Пирская когда-то рассказала Сашке Горностаевой, твоей подружке! По сути, ведь именно этот сюжетец и подсказал мне мысль о подмене колясок!

— Мила, ну сколько можно! — поморщился Вадим. — Сто раз уже об этом говорили. Ты словно сама себя хочешь убедить в том, что тебя не вычислят!

— Да, и это правда! Мне вот только поскорее надо бы определиться с домом! Понимаешь, все дома, расположенные в тех местах, где бы мне хотелось жить, в Ницце, например, или Антибе, очень дорогие. Или же нужно туда ехать и уже на месте выбирать. Хотя за те деньги, что у меня есть, можно. Вот, смотри. — Мила присела рядом с братом и раскрыла перед ним журнал с фотографиями. — Студия в Антибе, тридцать два квадратных метра. С видом на море — всего сто восемьдесят семь тысяч евро! Неплохо, конечно, но метраж-то! Или квартира — сто девяносто тысяч, двухкомнатная. Смотри, что они пишут: дом построен аж в 1968 году, четырехэтажный, две комнаты, какая-то американская кухня... Нет, вот не хочу я ни студию, ни маленькую квартирку, хочу дом! В Тарбе! Здесь даже библиотека есть! И подвал, и чердак, хозяйственная пристройка к дому, гараж на три машины! Перед домом терраса и пруд с золотыми рыбками... Вади-и-и-м... — замурлыкала она, царапая ноготками мягкий плед, как кошечка. — Двадцать одна сотка земли, красивый сад, вид на Пиренеи! Соседи — фермеры, продают стряпню, яйца, вино, мясо, угрей, фуа гра, хлеб!!! Хочу в Тарб!

— Мила, прошу тебя, помолчи немного...

— Чистый воздух, — заливалась, сладко вздыхая и с любовью вчитываясь в строчки рекламного объявления, Мила, — природа, зайцы, ежики, олени!!! В пяти минутах — огромный супермаркет... Город маленький и очень-очень красивый! Мы будем жить в тихом месте, вдалеке от суеты, кругом фермерские хозяйства, конный завод, горнолыжные курорты, термальные источники, рядом — Испания, Атлантический океан, Биарриц — полтора часа езды...

— Мила! — Вадим приподнялся на локте, лицо его стало белым с зеленоватым оттенком, на лбу выступила испарина. — Заткнись, а?

— Знаешь, в Тарбе зимой температура — двадцать градусов тепла, снега не бывает, зеленая трава! А еще рядом казино!

Вадим выскочил из-под пледа и бросился в ванную комнату, откуда сразу же стали доноситься характерные звуки — его выворачивало.

Мила, увлекшись, размечтавшись, продолжала, прикусив палец и не отрываясь взглядом от журнала:

— До аэропорта Тулузы всего один час двадцать минут на машине... Место райское... Вадим? Господи, ты где? Ты живой? Боже, как же тебя скрутило, братец!

Она, опомнившись, швырнула журнал на диван и побежала к брату.

— Господи, как же тебя корежит! Да успокойся ты! Что же это такое? Подумаешь, отрезал палец покойнице... Она же все равно ничего не почувствовала!

Она подняла брата с кафельного пола, умыла его, вытерла полотенцем, обняла:

— Ну-ну, Вадюша, успокойся... Все пройдет, все!

И тут она почувствовала, а потом и увидела струящиеся из глаз Вадима слезы. Он плакал совсем как маленький мальчик.

— Ну ты что? Что? Надо это пережить, и все! Думаешь, мне было легко сидеть там, в этом вентиляционном помещении, когда все ушли? Я же была одна, по сути, в морге. Когда все ушли, стало очень тихо, и в этой тишине каждый звук казался мне исходящим от покойников. Думаешь, мне не было страшно? А когда я стояла в темном коридоре за шкафом и караулила этого старика, все ждала, чтобы он вышел из своей каморки, думаешь, мне было просто, легко или приятно? Я же тоже боялась, что меня застукают... Ну-ну, ты весь дрожишь... Пойдем на диванчик, вот так, ложись, я укрою тебя... Вот. А потом, когда я дождалась все-таки того, что он вышел, думаю, в туалет, я забежала туда, открыла термос и всыпала в него снотворное. Готово дело! Потом подошла к двери, прислушалась — тишина. В прямом смысле — мертвая тишина. Приоткрыла дверь, выглянула — слава богу, никого! Вышла на цыпочках и снова в вентиляционную! Подождала там с полчасика, потом спустилась, подошла к двери, за которой находился старик, слышу — хра-апит дедок! Значит, порядок!

— И ты позвонила мне, — отозвался слабым голосом Вадим, — сказала: все, Вадим, приходи! И я пришел. С кусачками. Чтобы надругаться над трупом девушки. Я потом узнал, кто она... Ее изнасиловали, замучили, а потом еще и я... Мила...

И он заревел совсем как младенец.

— Поплачь, поплачь, Вадя, я все равно считаю тебя сильным человеком! То, что ты сделал...

— Могла сделать ты сама! У тебя нервы сделаны из железа, Мила. Что тебе стоило раздобыть этот палец?

— Ты пойми, если бы я все сделала, то что бы осталось тебе? Ты же тоже хочешь пожить во

Франции, уехать отсюда к чертовой матери! Ты должен был внести свой вклад в это дело!

— А своего гримера, Славку, ты бросишь?

— Не знаю... Он неплохой человек, но мыслит очень узко. Да и пристрастия у него какие-то странные... Нашел себе приработок — гримировать покойников. А вдруг он того... некрофил?!

— Ты же любила его.

— Любила — разлюбила... У меня мечта есть, понимаешь? Хочу нормально пожить. В свое удовольствие. Я архитектор, знаю французский на разговорном уровне, к тому же молода и красива! Я хорошо устроюсь там, найду себе приличного мужа, чтоб свой бизнес был, денежки, чтобы из хорошей семьи, выйду за него замуж, а ты останешься жить в нашем доме... Вадя, да забей ты на эту историю! Она закончилась, понимаешь?

— Мила, мы украли огромные деньги — двести тысяч евро!

— Ну и что? Надо посмотреть на это с другой стороны: мы сделали так, что теперь родители будут больше ценить свою дочку! У них произойдет переоценка ценностей! Они подобреют, поумнеют, у них все будет хорошо. А для Пирского это не деньги. У него их знаешь сколько?! Я же не у бедняков деньги вытягивала!

— Слабое утешение.

— Вадя, давай сделаем так. Прямо сейчас я позвоню в дом отдыха, в Синенькие, у меня там подруга работает, и мы поедем туда. Там свежий воздух, там ничто не будет тебе напоминать о пережитом кошмаре. Ведь это здесь, в родительской квартире, тебе все напоминает о твоих переживаниях, здесь ты провел бессонные ночи... А там все будет по-другому. Отоспишься, твой желудок нормально заработает, я скажу, чтобы тебе варили вкусные кашки... Соглашайся!

— Послушай, Мила, я понимаю, мы все это придумали, разыграли как по нотам, и у нас все получилось. То есть я подсмотрел переписку Лены с каким-то мужиком, просто заглянул в планшет, когда она отпросилась с урока, вышла из класса, прочитал кое-что и понял, что она собирается сбежать из дома. Понимая, что она сама сбежала, исчезла, мы с легкостью воспользовались ее отсутствием и провернули наше дело. Все хорошо. Кроме одного: Лена-то так и не вернулась! Прошла уже неделя, даже больше! И если выяснится, что с ней случилась беда или, не дай бог, она погибла, то получается, что ее убили мы...

— Вадим, что за бред ты несешь?! — разозлилась Мила. — Она же с мужиком каким-то свалила...

— Она собиралась с ним свалить, у них были какие-то наполеоновские планы... У них к тому же любовь-морковь! Они чуть ли не стихами переписывались! А вдруг мужик этот ее и убил?

— Да почему обязательно убил?

— Тогда почему же она не возвращается? В классе вон говорят, что ее похитили, что ее отец заплатил выкуп, а похитители ее так и не вернули! Ты понимаешь, ее родители с ума сходят! Они думают, что ее уже нет в живых! Сейчас криминалистика знаешь какая?! Возьмут отпечатки пальцев с коляски...

— Но ты же был в перчатках!

— Да все равно! Пока покупал, вез из магазина... Нет, я, конечно, все протер... Уф, Мила, я боюсь... Может, мне пойти в полицию и все им рассказать?

— Ты что, идиот? — зашипела на него сестра. — Только попробуй!

— И что ты мне сделаешь?

— А ничего! — Она издала нервный смешок. — Просто от всего откажусь и скажу, что ты прикарманил себе деньги!

— Мила, ты что, серьезно?

— А ты как думал? Я тут дом выбираю, размечталась, как мы туда с тобой уедем... Как распрощаемся со своими родителями, которые, кроме пахоты, в жизни ничего не видели! А тут — вернуть им деньги? Распрощаться со своей мечтой? Ты, конечно, мой брат, но я из-за твоей глупости и трусости с тюрьму не пойду. Давай, Вадим, вставай, одевайся, поедем в Синенькие. Хватит скулить, рыдать... Впереди нас ждет прекрасная жизнь!

— Ладно, Мила, и ты меня тоже прости... Глупость сказал... Сам не знаю, зачем это сделал. Просто, наверное, хотел услышать от тебя, что это именно глупость.

— Вот и хороший мальчик! — Мила ласково потрепала брата по щеке. — Давай уже, одевайся. А я соберу твои вещи.

— Мы родителям ничего не скажем?

— О чем? — Она резко обернулась: — Вадим?

— Ну, ты о том, что уезжаешь за границу, что останешься там... А я о том, что, когда закончу лицей, тоже перееду к тебе, что там поступлю куда-нибудь учиться, может, мы откроем с тобой дело... Или ты к тому времени выйдешь замуж, и тогда твой муж устроит меня к себе...

— Нет-нет, родителям мы однозначно ничего не скажем до тех пор, пока у меня на руках не будет купчей на дом, понял? Я вообще скажу им, что встретила парня и мы поехали пожить в Крым, к его родственникам. Таким образом, я вроде как исчезну, и меня никто не будет искать.

— А я?

— А ты окончишь лицей и приедешь ко мне. Все как договаривались. Родители наши пусть продолжают жить на своей даче, флаг им в руки! Когда мы с тобой встанем на ноги, пришлем им денег на мини-трактор, да? Главное, чтобы они не лезли в нашу жизнь.

Мила уложила в большую сумку вещи брата, принесла из ванной комнаты его туалетные принадлежности, аккуратно сложила в пакет и сунула в карман сумки.

Потом уложила волосы, привела себя в порядок, надела джинсы, белую майку, сверху накинула вязаную кофту. Заставила Вадима принять душ, надеть все чистое.

Перед тем как выйти из квартиры, окинула взглядом убогое, требующее ремонта родительское жилище, в котором они с Вадимом уже три года жили отдельно, поскольку родители приняли решение переехать на постоянное место жительства на дачу, и с силой захлопнула дверь.

— Ненавижу все это! — Она стиснула зубы и сжала кулаки. — Поехали, мой хороший! Все будет хорошо!

Они спустились, вышли из подъезда, сели в скромную, слегка потрепанную «Тойоту» Милы и поехали в Синенькие.

14

Пирский сам открыл дверь Лизе. У него был почему-то виноватый вид, что сразу же насторожило Лизу.

— Проходите, Лиза, рад вас видеть... — Даже улыбка у него выходила какая-то неестественная. — Чай? Кофе?

— То и другое, с молоком и сахаром, — сказала Лиза серьезно, потом улыбнулась: — Я пошутила. Если можно, кофе.

Она приехала к Пирскому, чтобы поговорить с ним о его сестре, Ирене. Ее связь, дружба, непонятные отношения со сторожем «Ивового дома», человеком, которому зачем-то привезли гроб, не давали Лизе покоя. Пропала девочка, оставившая свой телефон тетке. Тетка молчит и не рассказывает о том, что она якобы собралась сбежать, даже ее отцу! Может, с Леной случился банальный несчастный случай? Или она внезапно заболела? Или упала в колодец? Или утонула? Или просто ударилась головой и погибла? Ситуаций — великое множество. Ирена, испугавшись, что ее заподозрят в причастности к смерти племянницы, решила просто похоронить ее и попросила помощи у своего друга из «Ивового дома». Иначе для кого этот гроб?

Судя по тишине, Ирены там не было.

Пирский ходил по квартире в льняных домашних штанах и распахнутой голубой рубашке. Даже в простой домашней одежде высокий, статный, с умными глазами Пирский производил впечатление человека неординарного, сильного, харизматичного.

Однако Лиза, внимательно наблюдая за ним, никак не могла понять, что в нем сегодня не так. Его ускользающий взгляд, нервные движения... Что-то подсказывало ей, что она пришла не напрасно, что Пирский собирается ей что-то сказать, что он, согласившись на встречу, быть может, уже и жалеет об этом или просто решает, как ему сейчас себя вести, что говорить. Может, Ирена призналась ему в том, что знает, где скрывается его дочь? Или рассказала о том, как она погибла? И теперь Пирский не знает, как ему быть, чтобы теперь уже не потерять сестру?

Хотя и убитым горем отцом он тоже как-то не выглядит, скорее растерянным.

— Что случилось, Михаил Семенович?

— Ох, Лизавета Сергеевна...

— Можно просто Лиза... — подсказала она ему, чтобы из их отношений хотя бы сейчас исчезла официальность. Ей хотелось помочь ему собраться с духом. — Что бы ни случилось, я всегда вам помогу...

— Хорошо, сейчас я вам все расскажу!

Он резко взмахнул руками, как бы разрезая воздух, сел напротив Лизы, скрестив пальцы рук, словно запирая себя в замкнутом пространстве своих мыслей и чувств.

— Мы же знаем, что похитители взяли деньги, так? Так. Но Лена так и не вернулась. Как будто бы...

— В смысле? — Лиза не поверила своим ушам. — Она что, вернулась?

— Нет-нет, не вернулась... Но этим же вечером она позвонила мне. Вот. — И, сказав это, Пирский опустил голову, явно сгорая от стыда.

— Как же так, Михаил Семенович... — Лиза недоумевала. Ведь получалось, что они работали вхолостую!

— Да-да, я все понимаю. Ваши люди ищут мою дочь, а она тем временем, как я понял, устроила это похищение, забрала деньги и позвонила мне, чтобы сказать, что с ней все в порядке, чтобы я не переживал.

— Но почему вы мне ничего не сказали?

— Вот! — Он поднял указательный палец и склонил голову набок, замер, словно его парализовало. Видно было, что он очень переживает. — Вот это самое главное, что я хотел бы вам объяснить. Причем я даже не знаю, как это правильнее назвать — малодушие или жестокость...

Очень сложные чувства меня мучают. Я не сказал вам исключительно по одной причине: чтобы об этом не узнала моя бывшая супруга.

— Но почему?! — воскликнула Лиза, хотя через мгновение уже догадалась, в чем причина. — Вы хотите заставить ее страдать? Из ревности?

— В самую точку! Да, Лиза, вот такой я не джентльмен. Она ушла, бросила меня, хотя я, как мне кажется, дал ей все, чтобы она была счастлива. Причем я имею в виду не только материальные блага, хотя другая женщина на ее месте вполне довольствовалась бы и этим. Существует расхожее мнение, что деловые люди вроде меня, бизнесмены, все свое время проводят на работе, что они зарабатывают деньги и все такое... Да, это так, но я любил Олю, я был очень нежен с ней, и в первые месяцы мы были просто немыслимо счастливы! Но моя работа... Она требует времени, сил, это так. И, если бы Оля любила меня, она поняла бы. Но она как-то очень быстро остыла ко мне и, когда я возвращался домой, осыпала меня одними упреками... Думаю, вы можете себе это представить. А мне хотелось от нее немного ласки, понимания...

Он был так откровенен с Лизой, что ей стало даже неловко. Захотелось его поддержать, как-то очень тактично, осторожно, чтобы ни в коем случае не позволить ему потом пожалеть о том, что он раскрыл ей свою мужскую душу. Однако все те слова поддержки, которые готовы были сорваться с ее языка, она так и не произнесла, чтобы не прервать поток его воспоминаний, чтобы дать ему возможность выговориться.

— И вот когда в один далеко не прекрасный день она сообщила, что собирается уходить от меня, я буквально чуть не умер от горя! Вы себе представить не можете, как же мне было больно! У нас дочь, семья, мы просто обязаны были быть счастливы, а вместо этого получается, что я все свои усилия, труд, время, нервы, здоровье тратил на разрушение семьи? То есть, чем больше я зарабатывал и старался для семьи, тем разрушительнее был процесс! Тем больше отдалялась от меня Оля! И как итог: она бросила меня, ушла. Она вышла замуж за какого-то там смазливого художника, на которого сейчас тратит мои деньги! Моя жизнь разрушена, жизнь моей дочери — тоже! Она, моя девочка, металась между нами, не зная, к кому примкнуть, кого поддержать, а в результате она осталась совсем одна! Я чуть с ума не сошел, когда узнал, что она пропала. А уж когда мне прислали этот палец... Вы понимаете, на что она пошла, что с ней стало, в какое чудовище превратилась моя дочь, если решилась на такое преступление против нас?!!! Мало того, что она нас напугала, потребовала денег, так еще и раздобыла откуда-то этот палец?! Да она меня чуть не убила этим! Это даже больше, чем жестоко!

— Пальцы... — вздохнула Лиза. — Этот палец был отрублен у одной погибшей девушки...

И она рассказала Пирскому, как, при каких обстоятельствах был получен этот палец.

— Получается, что моя дочь усыпила сторожа морга и надругалась над трупом... Какой кошмар!!! В это просто невозможно поверить!!! Это не моя дочь!

— Может, ей кто-то помогал? Может, у нее есть приятель, друг, который все это провернул?

— Даже не знаю, что вам на это сказать... А потом приехала моя сестра и рассказала мне о том, что знала о побеге Лены. Она тут так плакала, так винилась... Конечно, я ее простил. Думаю, что ей со стороны было куда виднее, что происходит с Леной. И, конечно, она ничего не знала об этом пальце, я просто уверен. К тому же она не знала в подробностях план Лены. А Лена нас просто решила наказать. Меня и Ольгу.

— Что Лена сказала вам по телефону?

— Разговор длился всего несколько секунд. Она сказала: «Пап, не переживай, я здорова, у меня все хорошо. Мне надо побыть одной».

— И все? А вы что ей ответили?

— Я закричал: «Лена, дочка!!! Где ты?» Но она сразу же отключилась.

— А это точно был ее голос?

— Без всякого сомнения!

— Может, это была запись?

— Боже ты мой... Ну, я уж не знаю...

— Дело в том, что я приехала сюда, чтобы поговорить с вами о вашей сестре, о ее дружеских отношениях с одним человеком, проживающим в Вязовке... И об одном странном происшествии...

И Лиза рассказала ему об «Ивовом доме», о гробе, который доставили вчера Григорию.

— А... Понятно. Вы решили, что гроб предназначен для... страшно подумать.. для Лены... Нет, все это полная чушь! Возможно, умер кто-то из семьи самого Григория или семейства его хозяйки. И уж заподозрить Ирену в том, что она как-то связана со смертью Лены... Нет-нет!!!

— Вы и меня тоже поймите. Ведь если бы вы позвонили мне раньше, вчера, когда только обо всем узнали, что Лена жива... Но все равно, Михаил Семенович, мы не должны прекращать поиски. Как вы думаете?

— О! Безусловно! Теперь, когда я знаю, что она жива, мне будет легче переносить разлуку, и уж мне, конечно же, хочется поскорее ее увидеть и поговорить. Я уверен, что мы наладим с ней отношения. Если ей нужны деньги, то она получит их. Но не надо было устраивать весь этот балаган с похищением, который стоил мне таких нервов! Думаю, что ей понадобились деньги для покупки квартиры, чтобы жить отдельно от нас с матерью. Хотя двести тысяч евро, согласитесь, это огромная сумма — на эти деньги можно купить квартиру в Европе!

— Вы лучше знаете свою дочь, — заметила Лиза, — и тоже не верите в то, что она способна на такое... на это похищение с деньгами... Если же вас интересует мое мнение, то оно полностью совпадает с вашим — я тоже считаю, что существует кто-то, кто знал о планах Лены и просто решил воспользоваться этим, чтобы выманить у вас деньги. И сейчас, в свете вновь открывшихся обстоятельств, нам надо заняться именно этим вопросом: найти этих людей. Думаю, это может быть кто-то из ее близкого окружения, с кем она поделилась. Но тут позвольте мне немного отступить от темы... То, что я сейчас скажу, может причинить вам боль.

— Говорите уже. Не тяните... Тем более главное я уже знаю — моя Лена жива!

— Так вот... Мой помощник, Денис, встречался с близкой подругой Лены — Наташей Каленовой, и та подтвердила ваши слова, что Лену не похитили, что она просто сбежала из дома. В сущности, я собиралась вам об этом сказать, чтобы немного успокоить. Но дело в том, что Наташа высказала предположение, что ваша дочь не просто сбежала, что она... Ладно, не буду вас мучить. Что у нее роман с Валентином, мужем Ольги. Вот.

— Что-о-о-о?!! — Пирский резко поднялся и рукой задел чашку, которая тут же упала со стола и со звоном разбилась. — Она так сказала? Это точно?!

— Нет-нет, вот эта информация не точная. Это всего лишь предположение. Просто Наташа сопоставила факты, желание Лены побыть одной, разобраться в себе... Иначе с какой стати ей было бы прятаться, если бы у нее, к примеру, был роман со сверстником? Разве кто-нибудь из вас стал бы ей чинить препятствия? Ну, встречается она с молодым человеком, и все. Я даже думаю, что, попроси она вас купить ей отдельную квартиру, и здесь бы ей, может, не отказали. Да, может, она замуж, к примеру, собралась! Или забеременела?

— Послушайте, да, если бы моя дочь ждала ребенка, хоть от крокодила, я бы помог ей, поддержал бы ее... Но если она... с Валентином... Господи, только этого мне еще не хватало... Постойте... А что, если это правда? И эти огромные деньги... Может, весь этот план придумал он, этот жалкий рисовальщик?! Убью его... Голову оторву! А куда смотрела Ольга?! Она что, слепая? Хотя, конечно, она постоянно в разъездах, ездит, устраивает, проплачивает ему выставки, участие в каких-то там конкурсах... Вот дурища-то!!! Правильно, что я ей не сообщил о звонке Лены. Как чувствовал!

— Михаил Семенович, пожалуйста, успокойтесь! Я же сказала вам, что это всего лишь предположение подруги Лены. Мы должны все проверить. Абсолютно все! Для начала я попытаюсь выяснить, откуда был звонок.

— Лиза, да, конечно же, с телефона-автомата, или же она просто попросила у кого-то постороннего телефон, чтобы позвонить мне. Она же неглупая девочка!

— Хорошо, я знаю, как мне действовать. А вы... Вы должны позвонить Ольге и рассказать о звонке Лены. Так будет правильно. И сестре своей позвоните. Или уже позвонили?

— Нет, я не звонил еще никому... Пусть тоже помучается... И хотя я ей сказал, что простил ее, но вот тут, — Пирский ударил себя несколько раз кулаком в грудь, — здесь знаете как болит!!!

15

Ближе к полудню Глафира обладала некоторой информацией, касающейся «Ивового дома». Дом в Вязовке был зарегистрирован на имя Владимира Александровича Смушкина, пенсионера, который прежде жил в областном центре, а сейчас проживал в Санкт-Петербурге. По словам Кати, библиотекарши из Вязовки, дом принадлежит одной женщине, какой-то чиновнице или бизнес-леди, которая крайне редко здесь бывает. Но дом не брошен и не продается. За ним следят, ухаживают. Там живет сторож, Григорий, очень хороший человек...

Ладно, пусть дом оформлен не на саму женщину, а на какого-нибудь ее родственника, возможно отца. Ради того, чтобы выяснить это, совершенно необязательно ехать в Питер — всей информацией наверняка обладает сторож Григорий. Если бы он был зарегистрирован в Вязовке, то выяснить его фамилию было бы нетрудно. Но если он работает сторожем, то, скорее всего, проживает в городе. Тем более что Катя-библиотекарша сказала, что Григорий время от времени навещает там жену. Еще она сказала, что он практически постоянно живет в Вязовке. Значит, в случае, если у него возникают проблемы со здоровьем, он обращается в местный медицинский пункт, а у него там имеется карточка. Пусть даже в ней и зафиксировано, к примеру, всего одно обращение!

Глафира позвонила Кате, попросила ее выяснить фамилию сторожа «Ивового дома», подсказала, где это можно сделать.

Катя, услышав ее голос и испытывая к ней чувство благодарности за пожертвование библиотеке или просто симпатию, бодрым голосом сообщила, что и у нее есть кое-какая информация о Григории, поскольку и он тоже, хоть и редко, пользовался библиотекой, а это значит, что на него заведен формуляр читателя.

— Записывайте! — заливалась Катя по телефону, радуясь возможности помочь Глафире и даже не полюбопытствовав, чем же ее так заинтересовал сторож. — Григорий Яковлевич Брушко! Проживает в городе по адресу: улица Некрасова, дом пятьдесят дробь двадцать пять, квартира пятнадцать.

— А какие книги он у вас брал? Чем интересовался? — на всякий случай поинтересовалась Глафира.

— Растениеводство, лекарственные травы, медицина, пластическая хирургия... Одно время он решил завести кроликов, брал книги по кролиководству, но, вероятно, не сделал бедняжкам вовремя уколы, и они все умерли... Он страшно горевал по этому поводу и больше уже никакую живность не заводил. Кстати, одну книгу он потерял, не вернул, зато принес мне целую подборку книг Агаты Кристи. Вы не представляете, как все были рады! Как выяснилось, еще при ее жизни у нее были последователи, которые пытались писать в ее духе, словом, наша библиотека пополнилась интересными книгами... Так что бог с ней, с книгой по кролиководству. Тем более что она ему все равно не помогла.

Глафира поблагодарила Катю и вплотную занялась этим сторожем.

Григорий Яковлевич Брушко, 1964 года рождения, родом из Хвалынска, женат на Марии Федоровне Брушко, урожденной Медведевой, 1970 года рождения.

Брушко окончил политехнический институт, был геофизиком, долгое время работал научным сотрудником в лаборатории на базе Института геологии, потом, в 1994 году, был сокращен и как бы исчез из поля зрения социальных служб. Его жена, Мария Брушко, профессиональный повар, до 1992 года работала в ресторане «Русь», после чего уволилась по собственному желанию и тоже как бы исчезла, официально нигде не работала. То есть получалось, что она ушла с работы двадцать два года тому назад, а сам Брушко — двадцать лет. Брушко все эти годы, возможно, прослужил сторожем в «Ивовом доме», чем занималась его жена — вопрос. Может, была домохозяйкой, и средств, заработанных Брушко, хватало им на жизнь, а может, работала где-то неофициально.

Глафира отправилась на улицу Некрасова, где проживала супружеская пара Брушко. По дороге она связалась с Лизой, поделилась своим планом.

— Конечно, все это довольно-таки рискованно и вообще даже противозаконно, поскольку у нас на них ничего нет, — прокомментировала Лиза, — да и расследование мы ведем неофициальное. Но, если они люди юридически не подкованные и если у них рыльце в пуху, может, и допустят какую-нибудь ошибку в разговоре, выдадут себя. И если выяснится, что они имеют отношение к пропаже Лены или, не дай бог, к ее смерти... Хотя не думаю, что она погибла, поскольку как раз в то самое время, что ты наблюдала за Брушко, которому привезли в «Ивовый дом» гроб, а Пирский уже расстался со своими деньгами, Лена позвонила отцу...

И Лиза рассказала Глафире о своем визите к Пирскому, о том, как тот, запутавшись в своих чувствах к бывшей жене, да и к сестре, решил до поры до времени скрывать звонок Лены.

— Так она жива? Зачем же я тогда поеду к Брушко? Да мало ли кого они там похоронили? Это не наше дело!

— Может, Лена позвонила отцу, а потом с ней что-то случилось... Хотя, конечно, это маловероятно. Но эта цепочка: Лена — Пирский — Ирена — Брушко — гроб — «Ивовый дом» — хозяйка этого дома, которую мало кто видел, все это кажется мне связанным. Хотя, возможно, я и ошибаюсь.

— Знаешь, Лиза, пусть уж и я ошибусь, но зато все проверю, чтобы ни о чем не пожалеть. Лены-то до сих пор нет! К тому же, как ты говоришь, по телефону Пирскому могла позвонить не сама Лена, а кто-то другой, кто записал ее голос. Ну, чтобы Пирский немного поостыл, успокоился, а похитители, а может, и убийцы, выиграли время! Ведь люди похитили не только Лену, но и большие деньги, а за такую сумму можно много чего придумать, чтобы запутать всех нас и обезопасить себя. К тому же вспомни, какими методами пользуемся мы сами, если нам нужно добыть информацию или, наоборот, кого-то дезинформировать и так далее... И голоса записываем, и гримируемся, парики надеваем, близнецов используем, профессиональных актеров, какие-то спецэффекты, чтобы только добиться своей цели. Никогда не надо недооценивать своих противников, преступников. На то они и преступники, чтобы переступать какие-то моральные грани.

— Хорошо, Глашенька, поезжай! Буду с нетерпением ждать результатов.

— Ты позволяешь мне воспользоваться кое-чем?

— Пара «жучков». Почему бы и нет? Конечно, Глаша.

— Ну и отлично. Денис в Вязовке?

— Да, отправился туда в компании лучшей подруги Лены — Наташи Каленовой.

— Той самой, что высказала предположение о романе Лены с художником-отчимом? Что ж, давайте действуйте! А у меня встреча с Герой Туровым. У него есть для меня кое-какая информация о той студентке, помнишь, в морге?

— Да-да! Привет ему от меня!

— Кто там? — спросили за дверью, когда Глафира позвонила в квартиру Брушко. Голос был женский, молодой.

— Помощник адвоката, Глафира Кифер. Вы — Мария Брушко?

— Да, я Мария Брушко.

За дверью стало тихо. Потом этот же голос спросил:

— Покажите документ.

Глаша достала удостоверение и приблизила его к дверному глазку.

— Пожалуйста, откройте. Признаюсь сразу, я не официальное лицо, мне просто нужно задать вам несколько вопросов, касающихся вашего мужа.

— А что с моим мужем? — Голос стал совсем тихим.

— Думаю, что те вопросы, которые я собираюсь вам задать, следует озвучить за закрытыми дверями, а не здесь, чтобы нас услышали соседи.

После такого аргумента дверь открыли, и Глафира увидела перед собой невысокую, с приятным лицом, рыжеволосую женщину лет пятидесяти.

— Проходите, пожалуйста.

Лицо женщины было озабоченным, она словно старалась не смотреть на Глашу.

— Вы — помощник адвоката? Но зачем моему мужу адвокат?

— Надеюсь, что он ему не понадобится, поскольку он интересует нас исключительно как свидетель.

— Уф... Ну ладно, пойдемте в комнату. Хотите чаю? Или кофе?

— Нет, спасибо.

Квартира была небольшой, чистой, уютной. На сковороде жарились отбивные, от которых исходил аппетитный запах. Мария поспешила выключить огонь. По привычке машинально включила электрический чайник.

— Что случилось? Знаете ли, к нам нечасто приходят люди вашей профессии, вернее, никогда не приходили...

— Адвокат Елизавета Травина помогает полиции в поисках пропавшей больше десяти дней тому назад Елены Пирской. Лена Пирская — старшеклассница, племянница Ирены Пирской, женщины, которая живет в Вязовке и является знакомой вашего мужа, Григория Брушко, также проживающего в Вязовке.

— Да, понятно... — Лицо Марии стало пунцовым, а кончик маленького аккуратного носа побелел. — Гриша не то чтобы там живет, он охраняет там дом. А живет он здесь, со мной. И какое отношение мой муж имеет к этой... Елене?

— Надеюсь, что никакого. Но, может, он был знаком с Леной, может, они разговаривали, понимаете? Мы просто опрашиваем всех, кто был знаком с Леной, чтобы понять, кому понадобилось ее похищать. Ее отец, Михаил Пирский, выплатил похитителям очень крупную сумму денег, а дочери своей так и не получил.

— Но... Гриша... при чем? — Пальцы рук принялись отбивать на столешнице тихую нервную дробь.

— Я была вчера в Вязовке, хотела познакомиться лично с Григорием, но оказалась там явно не вовремя... Скажите, что вы знаете о хозяйке «Ивового дома»?

— Какого дома? Не поняла.

— Дом, в котором работает ваш муж, в деревне все называют «Ивовым домом» из-за большого количества ив, которые растут вдоль ограды. Так что вы можете сказать о его хозяйке? Кто она? Как ее зовут?

— У нее редкое имя: Илона, — сказала Мария. — Фамилии я не знаю.

— Где она живет?

— Как где? В городе, здесь! Она... у нее какой-то бизнес, кажется, строительный... Она богата, но много работает, и время от времени ей надо побыть в тишине, в своем доме. Там она отсыпается, приходит в себя, дышит свежим воздухом, словом, набирается сил.

— Она молода?

— Думаю, она моя ровесница, хотя Гриша говорит, что она настолько изводит себя работой, что это отражается на ее внешности. Я-то ее никогда не видела, но мне она представляется худой, высокой, очень строго и неброско одетой женщиной зрелого возраста.

— Скажите, Мария, у вашего мужа есть от вас тайны?

— Ну и вопросы вы мне задаете! Если и есть, то мне они не известны, иначе какие же это тайны? Если вы имеете в виду, не ревную ли я Гришу к Илоне, то сразу отвечу: нет. Мы с мужем прожили уже двадцать пять лет вместе. Мы с ним — как одно целое. Конечно, он много времени проводит там, в Вязовке, но Илона хорошо ему платит, очень хорошо! Да и работа ему нравится. Он же цветовод, очень любит работать на земле. У него руки «зеленые».

— Понятно. А вы, получается, домохозяйка?

— Нет, к сожалению, хотя подумываю о том, чтобы... — Тут она замолчала и быстро оглянулась, словно боясь, что ее кто-нибудь услышит. Словно она чуть было не проговорилась о чем-то. — Хотя чего уж там... Мы с Гришей накопили денег, чтобы выкупить этот дом у Илоны...

— Дом Илоны... Что ж, я понимаю. Ваш муж вложил туда много сил, любви, выращивая свои цветы. И как, его хозяйка согласна уступить вам дом?

— Гриша ведет с ней переговоры... — Мария схватила чистое кухонное полотенце и промокнула им мокрое от пота лицо. — Извините... Гормоны...

— А как же она? Разве она не привыкла к этому дому?

— Я, конечно, точно не знаю, но, возможно, она купит дом за границей. В Болгарии, к примеру. Или в Греции, Хорватии. Будь у нас с Гришей побольше денег, и мы тоже поступили бы так же.

— Значит, вы не домохозяйка. И чем занимаетесь, где работаете?

— Да вот уже много лет я работаю помощницей по хозяйству в одной семье. Готовлю, прибираюсь.

— Скажите, Мария, Илона живет одна или у нее есть муж, дети?

— Кажется, она не замужем. Иначе Гриша рассказал бы мне.

— Если бы в ее семье кто-нибудь умер, как вы думаете, она могла бы обратиться к вашему мужу за помощью в устройстве похорон?

Чайная ложечка упала со звоном на плиточный пол. Мария машинально прошептала несколько слов из молитвы. Потом перекрестилась.

— А что, кто-то умер?

— В сущности, я и приехала к вам для того, чтобы задать этот же вопрос. Дело в том, что вчера днем я была в Вязовке и сама, своими глазами видела, как в «Ивовый дом» привезли гроб! Нормальный такой, грубо говоря, человечий гроб! И ваш муж занес его в дом.

— Гроб? Ну, не знаю... А может, это был вовсе и не гроб, а какой-нибудь контейнер? Ящик для рассады, к примеру? Или посылка? Гриша заказывает цветы из Германии... И другие вещи для сада... Или же ему прислали инкубатор? Он вроде бы собирался разводить кур...

— Может, и инкубатор, — пожала плечами Глафира.

— Стойте! У Гриши была собака! Может, она умерла и он решил ее похоронить? И этот гроб —

идея хозяйки? Ну как бы в знак уважения к животному. Вы же знаете, хозяева иногда так привязываются к своим любимцам, что даже оставляют им наследство!

— Жаль, конечно, что вы не знаете фамилию этой Илоны. Но не думаю, что в городе много женщин с таким именем. Найдем...

— Постойте... Вы что же это, думаете, что пропажа Лены как-то связана с Гришей, с гробом?! — До Марии только сейчас начал доходить смысл всего того, о чем они говорили. — Что вы такое говорите? Разве у этой пропавшей девочки не было друзей, родственников? Кто ей Гриша? Сосед Ирены, которая живет в Вязовке, в то время как Лена эта ваша обитала в городе!

— Лена довольно часто гостила у своей тетки, — заметила Глафира, которая, в сущности, понимала возмущение Марии. Действительно, далековато она забралась, получается, в поисках Лены Пирской. Да она бы никогда и не стала искать Григория Брушко, если бы случайно не увидела этот гроб. Пропала девочка, и тут же человек, состоящий в дружеских отношениях с ее теткой и охраняющий дом за высоким забором, привозит гроб.

— В Вязовке живет довольно много семей, и в выходные к ним приезжают друзья, родственники... Так пойдите, порасспрашивайте всех, кто когда-либо видел эту Лену.

— Я понимаю вас, Мария, и прошу извинить за беспокойство. Если вы — мать, то должны понять родителей этой девочки. Я же говорю, ее отец заплатил деньги похитителям, а дочери своей так и не увидел. Конечно, мы опросили всех, кто знал Лену, — и родственников, и подружек, но никто ничего не знает...

— Да-да, конечно... — как-то судорожно, словно всхлипнув, произнесла Брушко, обнимая свои плечи руками, словно ей стало холодно. — К сожалению, у нас с Гришей нет детей. Но если бы были... Да, конечно, будь я на месте бедной матери девочки, я бы заставила искать везде, где только ее вообще могли видеть! Просто мне стало как-то не по себе...

Глафира подумала, что она ведет себя все равно как-то неестественно, не совсем правильно или логично. К ней пришла помощница адвоката, чтобы задать вопросы, связанные с ее мужем, и она вместо того, чтобы сразу же переадресовать их Григорию, поскольку она-то лично вообще ни при чем и ни при ком, вы, мол, помощница адвоката, поезжайте к нему и сами все разузнайте, стала сама честно выкладывать все, что знала. А если разобраться, то она не знала вообще ничего!

К тому же Мария Брушко очень сильно нервничала, под конец разговора ее просто колотило. Почему? Что волнительного в том, что ее расспрашивают о работе мужа? Ну, работает он в Вязовке, охраняет дом. Да, знаком с Иреной, но похищение ее племянницы уж никак не может быть связано с Григорием!

И с какой стати этой Илоне продавать дом, который она содержала в течение многих лет и это стоило ей немалых, по словам самой же Марии, денег! *«Илона хорошо ему платит, очень хорошо платит!»*, *«Мы с Гришей накопили денег, чтобы выкупить этот дом у Илоны...»*

Это какие же деньги Илона платила Григорию, чтобы ему хватало на семью, да он еще и накопил сумму на покупку этого дома? А дом стоит немало!

Глафира продолжала задавать какие-то уже совсем нейтральные вопросы Марии, обдумывая один-единственный вопрос: если Илоне нужно было, чтобы кто-то охранял ее дом, то не проще ли было просто установить в нем сигнализацию?

Из разговора с Марией она поняла, что Илоне нужно было, чтобы дом был всегда жилым, теплым, живым! Чтобы там все функционировало, чтобы на участке цвели цветы и росли фруктовые деревья. Чтобы там ее встречал человек, который сумел бы ей обеспечить комфорт, приготовить еду, словом, слуга. Или... А что, если Григорий жил как бы на две семьи? Что, если Илона была его второй женой? Одинокая бизнес-леди полюбила мужчину, серьезного, ответственного, да к тому же женатого, который никогда бы не бросил свою жену. Полюбила и предложила ему такой вот тип отношений. Ведь Григорий жил в Вязовке практически двадцать лет! Может, у Илоны есть дети от Григория, о которых Мария ничего не знает. Да, скорее всего, так оно и есть!

Или... Если связать этот «Ивовый дом» с Леной?! Может, Григорий действительно только сторож при Илоне, а живет он, как мужчина, с Ире-

Анна Данилова

ной, и Лена вообще их дочь! Или дочь Ирены! Подчас в семьях бывают такие тайны...

Голова кружилась от разного рода предположений.

И в ту секунду, когда Глафира уже стояла на пороге и прощалась с Марией Брушко, когда взяла ее за руку, такой вот непроизвольный жест поддержки, ей вдруг пришло в голову, что никакой Илоны не существует и что Илона — это и есть Ирена! Что это она, возможно, на деньги брата двадцать лет тому назад купила этот дом, потом они познакомились с Брушко, стали любовниками, а потом и вовсе жизнь обоих в силу определенных обстоятельств раздвоилась. Двойная жизнь. У Григория две семьи. У Ирены, с одной стороны — видимость одиночества, с другой — большая любовь, маленькая, но крепкая, двадцатилетней выдержки семья, взаимопонимание, цветы, дом...

Вот Лиза будет удивлена!

Перед самым уходом — небольшой трюк с просьбой принести стакан воды, молниеносное передвижение внутрь квартиры и пристраивание трех «жучков» в самых удобных для просмотра точках пространства.

— Мария, пожалуйста, если будут какие-нибудь новости, если что-нибудь узнаете от вашего мужа о Лене, вот вам моя визитка...

Раскрыв в машине ноутбук и увидев на экране замершую с трубкой возле уха Марию, Глафира приготовилась услышать всю правду.

— Гриша?! Господи... Как же я перепугалась! Сейчас у меня была какая-то помощница адвоката, Глафира Кифер. Она интересовалась тобой, домом Илоны... Гриша, она видела гроб!!! Видела, представляешь, как тебе привезли гроб! Она связала это с пропажей Лены, они скоро будут у тебя!.. Как — чего перепугалась?... — Она какое-то время молча слушала мужа, потом закивала: — Ну да, я так и сказала, что ты, может, похоронил собаку. Большую... Еще что-то говорила про какой-то контейнер... Я так растерялась, испугалась... Как — чего? Да, еще интересовалась Илоной. Говорит, что женщину с таким редким именем нетрудно будет найти. Но я не думаю, что они усложнят себе задачу. Уверена, что не сегодня завтра к тебе придут с обыском, а заодно и расспросят об Илоне. И что ты им расскажешь? Ну да, конечно, ты ведь только сторож. Ладно, Гриша... В субботу увидимся. Нет-нет, ты меня успокоил. Да, конечно, ничего страшного не случилось! Я и сама не знаю, чего испугалась. Целую тебя, мой дорогой.

16

Ольга Пирская целый день не решалась взглянуть на себя в зеркало. Знала, что выглядит отвратительно.

Но все же подошла, увидела опухшее от слез лицо и ужаснулась. Веки ее отекли и покраснели, губы по краям воспалились и тоже распухли. Не лицо, а какая-то карикатура, причем жалкая, унизительная, убийственная.

В гостиной было все разгромлено. Ольга, разорвав еще в прихожей толстый желтый конверт от частного детектива и увидев пачку цветных фотографий — свидетельств бурной личной жизни своего молодого мужа-художника, поняла, что жизнь ее окончена. Все то, что рассказывали ей подруги, которые встречали Валентина в городе в обнимку с разными молоденькими девушками, она воспринимала не как правду, а как предостережение, она не верила им, но и не обижалась на ложь, считая, что они делали это ей же во благо. Общество людей, в котором она жила, вращалась, кружилась, которое забавляло ее своей жестокостью и цинизмом и которое она никогда не воспринимала всерьез и мнением которого поэтому никогда не дорожила, в конечном итоге оказалось право: ее брак с Валентином Ивановым, художником средней руки, но прекрасным любовником и просто красивым молодым мужчиной, принес ей несчастье.

Так, как она любила Валю, она не любила никого прежде и никому не говорила тех слов, которые произносила, обращаясь к нему. Все говорили, что она сошла с ума от любви, и это была чистая правда. Ради того, чтобы видеть Валю каждый день, спать с ним в обнимку, видеть его каждое утро, появляться с ним на людях, путешествовать с ним по красивым волшебным городам, дарить ему выставки, успех, признание и деньги, она предала своего порядочного и добрейшего мужа Мишу и, получается, единственную дочку Леночку.

Сейчас, когда правда ударила ее ножом в грудь, когда ей стало трудно дышать, а впереди себя она увидела лишь пустоту, чистый белый угол своей бесполезной и ошибочной жизни, когда почувствовала за спиной змеиное шуршание предательства, обмана, лицемерия, ей захотелось просто исчезнуть.

Со всех предметов в комнате, со всех картин, зеркал, поверхностей мебели, голых стен, занавесок смотрели на нее насмешливые глаза Валика, их было много, этих глаз, и все они хлопали ресницами, отчего по гостиной пробежал холодные ветерок. Несколько глупых мыслей и движений — и ванна будет до краев наполнена теплой водой, которая поможет открывшимся венам безболезненно выпустить кровь из ее тела, остатки сил из ее измученной души.

Волна ненависти и отчаяния завладела ее руками, оказавшимися сильными и очень длинными, которые смахивали на своем пути все, что только попадалось: вазы, лампы, стаканы, бутылки, цветы, духи... Все летело в стены и разбивалось, разливалось, умирало...

Ольга бегала по комнатам и все крушила, словно хотела разрушить свое прошлое, убить, умертвить все свои несостоятельные надежды, планы, растоптать кажущиеся смешными любовные ласки, движения, взгляды, улыбки...

Стоя в разгромленной квартире перед единственным уцелевшим зеркалом, она вдруг поняла, почему еще жива. Лена! Ее звонок, спасительный, чудесный, не позволил лишить себя жизни.

Она позвонила сразу же после того, как Пирский положил в коляску-фантом кучу денег.

Ну, разыграла, напугала до смерти девочка зарвавшихся родителей. Проучила их как следует, а заодно и вытрясла денежки у папаши. Бог с ней. Важно, что она жива!

Первым желанием Ольги после звонка, который вмиг успокоил ее, вернул к жизни, было позвонить Пирскому и сообщить об этом. Но она не стала. Не захотела сделать ему такой роскошный подарок. Зачем ему было лгать ей, что он любит ее? Почему, когда она решилась уйти от него, он не взял ее за руку, не остановил, не сжал ее в своих крепких объятиях и не сказал, как он ее любит, почему не попросил прощения за то одиночество, в котором она, как в плотном коконе, провела последние годы их совместной жизни? Почему дал ей возможность улететь? Уйти? Убежать? Он старше ее, умнее, разве он не понимал, что она отравилась любовью, как ядом? Что она была обречена с этим Валиком? Что ее надо было спасать еще тогда, когда она писала, царапая бумагу, заявление о разводе? Когда выбирала в журналах свое второе свадебное платье? Когда ей укладывали волосы горячими щипцами, сооружая на голове свадебную прическу? Когда было еще не поздно, словом...

Это не она, это он сломал ей жизнь и сделал несчастным их единственного ребенка! Не мог, когда они еще были в браке, найти время для них с Леной, отправляя на море, в жаркие страны вдвоем, словно у них не было мужа и отца. Он сам самоустранился, а теперь считает, что во всех их несчастьях виновата только она.

Голова кружилась вместе с комнатами, полом и потолками. Однако трясущимися руками она принялась забрасывать в разинутую пасть чемодана мужские рубашки, носки, штаны, свитера Валика...

Потом открыла дверь и выставила за нее багаж.

Вернулась, отыскала на полу, среди осколков стекла, телефон, набрала номер Михаила. Напряглась, слушала долгие далекие гудки и, когда услышала знакомый, родной голос мужа, разрыдалась и сквозь рыдания произнесла два важных слова, чтобы он услышал, чтобы понял, чтобы до него дошел их смысл:

— Лена... Жива...

И потом, давясь слезами, прошептала:

— Миша... приходи... мне так... плохо...

И потеряла сознание.

17

Хирург областной больницы Желтков Петр Борисович возвращался домой. Был поздний вечер, но детвора во дворе еще гоняла в футбол, оглашая звонкими криками всю округу, было светло, теплый майский вечер не торопился перелиться в ночь. Жена Желткова отправилась с подругой в Крым, оставив мужу в морозилке все, что только можно было заморозить: голубцы, домашние пельмени, блинчики с мясом и творогом. На сегодня было запланировано извлечь из морозилки и разогреть в микроволновке любимый Желтковым бигос — традиционное польское (или литовское) блюдо из квашеной капусты со свининой.

День выдался тяжелым, две операции плановые, одна внеплановая, плюс куча документов, заполнение которых, собственно говоря, и задержало доктора допоздна.

Войдя в подъезд, он остановился возле почтовых ящиков, отпер свой. Достал пачку рекламных проспектов, счетов и два письма. Одно письмо было от жены, он был уверен, что найдет в конверте яркую открытку с видами Ялты или Евпатории. А может, и Бахчисарая, куда она собиралась поехать проведать старинную подругу.

А вот второе письмо было без обратного адреса. Как и те, другие письма, что приходили ему время от времени вот уже в течение двадцати лет.

Судорожно вздохнув, однако стараясь не волноваться, Петр Борисович аккуратно отделил ненужный бумажный хлам и выбросил в стоящую здесь же корзину, уже переполненную такими же рекламными брошюрами и газетками, после чего поднялся на лифте к себе в квартиру. Переоделся, вымыл руки, достал контейнер с бигосом и поставил в микроволновку.

За окном прямо на глазах листва на высоких тополях и кленах темнела, а небо становилось совсем лиловым. Стихли внизу мальчишеские голоса, вероятно, все юные футболисты уже вернулись домой, и теперь кто заливал раны и ссадины на коленях йодом, кто просто мылся под душем, а кто сидел за столом и ужинал. Город за окном успокаивался, словно кто-то там, наверху, убавил громкость огромного вечернего мира. И Желткову снова захотелось поспорить с кем-то о Боге, о том, что если это не Бог, то, может, существует вселенский разум, который управляет всем миром, который в положенное время укладывает людей спать, а утром поднимает. Кто-то очень внимательный, но, к сожалению, не вездесущий, следит за порядком, старается, но все равно где-то не поспевает, и поэтому совершаются преступления и зло одерживает верх над добром.

В кухне вкусно запахло капустой и тмином. «Эх, Людочка, без тебя так скучно ужинать!» — обратился он мысленно к жене, которая сейчас тоже, наверное, ужинала или пила чай на веранде в обществе приятных ей людей.

Он достал из конверта открытку от жены: ну, точно, изображение ханского дворца, построенного в излучине реки Чурук-Су, в Бахчисарае!

«Тут на дорогу тень бросает кипарис,
Там минарет, вдали — утесы-исполины.
Сидят, как дьяволы, что на Совет пришли...»

Петя, дорогой, как нам тебя здесь не хватает! Все, и Марьяночка, и тетя Тамара, и дядя Амед, все передают тебе привет! Погода стоит прекрасная, солнечная, теплая. У Марьяны поспела гигантская крымская клубника, зреет черешня... Жаль, жаль, что ты на нашел время поехать со мной. Но ничего, если получится, приедешь позже. Целую тебя, Люда».

От открытки пахло солнцем, черешней и Людочкиными духами... Конечно, он постарается к ней выбраться. Надо же когда-нибудь и отдыхать!

Открытка. Как мило! Конечно, Люда — вполне современная женщина, кардиолог, и она, если уж разобраться, могла бы спокойно отправить ему снимки Ялты или свой собственный портрет на фоне цветущих деревьев по Интернету. Однако в течение всей совместной жизни, особенно когда расставались в летнее время и кто-то один отправлялся в Крым, Желтковы продолжали традиционно писать друг другу бумажные, как они называли их, «нормальные» письма и открытки. Традиции ради.

Кроме Люды, только еще один человек писал бумажные, нормальные письма. И каждый раз, когда приходил такой конверт, Желтков почему-то нервничал, словно речь шла о преступлении.

Он вскрыл конверт и увидел маленький листок с запиской, написанной знакомым почерком:

«Здравствуйте, Петр Борисович! В Вязовке идет дождь».

Он сразу встал. Как солдат, который получил приказ. Вымыл руки, вытер их полотенцем, словно готовясь к операции, прошел к себе в кабинет, взял саквояж. Переоделся в джинсы, тонкий свитер, взял с собой ветровку и вышел из квартиры.

Спустился вниз, во двор, пересек опустевшую детскую площадку, вошел в дом напротив. Поднялся и позвонил в дверь.

— Это вы, Петр Борисович? — услышал он женский голос.

— Да, Маргарита Яковлевна, это я.

Дверь отворилась, и Желтков вошел в квартиру Маргариты Яковлевны, немолодой уже женщины с выкрашенными в пепельный цвет волосами, уложенными в высокую прическу. Большие карие глаза смотрели на Желткова тревожно.

Вся большая, захламленная сомнительным антиквариатом квартира была прокурена, хозяйка держала в руке горящую сигаретку.

На Маргарите была черная кофточка и длинная, в пол, красная юбка. Желтков подумал, что у нее, наверное, все вещи в шкафу тоже пахнут табаком.

— Мы прямо как шпионы, — сказал он, проходя за женщиной в кухню. — Я надеялся, что все уже закончено. И я теперь как бы никому не нужен. Вы понимаете, о чем я...

— Да, но жизнь, она штука сложная, и каждое действо должно быть закончено соответствующим образом. Особенно — злодейство!

— Не понял пока...

— А я вам сейчас все-все объясню. И очень прошу вас не отказываться. Это очень важно. Для нашего общества.

— Вы какое именно общество имеете в виду? — не понял Желтков.

— Наше, человеческое, общество в целом. Садитесь, я сейчас все объясню.

Маргарита Яковлевна поставила перед Петром Борисовичем чашку с горячим чаем, села напротив и начала рассказывать. Она говорила хорошо поставленным, в силу ее профессии, голосом, и все сказанное ею звучало весьма убедительно.

— Разве вы были спокойны все эти годы? Разве не возмущались происходящим? Вы так много времени и сил положили на то, чтобы... Петр, вы думаете, мне было легко? Да, безусловно, деньги — весомый аргумент, никто не спорит, но мы же с вами отрабатывали их. Честно отрабатывали. И все эти годы все сохранялось в строжайшей тайне. Сегодняшнее мое письмо к вам — карикатура на тот образ жизни и ту конспирацию, которой мы были окружены все это время. Безусловно, тем, кто займется расследованием, не будет никакого дела до нас, ведь мы всего лишь исполняли свой профессиональный долг. И не думаю, что опаснее было бы вам позвонить или написать электронное письмо. Тем более что информацию из первых, так сказать, рук я получила вообще по скайпу! Но так уж повелось, эти письма... Что в Вязовке идет дождь. Словно мы дети какие и играем в шпионов.

— Знаете, а я привык. И как только увидел ваш почерк на конверте, сразу понял, что я понадобился. И одновременно испугался. Подумал, что речь идет о здоровье...

— Нет, это все, слава богу и вам, думаю, в прошлом. Так вы согласны?

— А Гриша? Он согласен?

— Безусловно! Он вообще не задал ни одного вопроса. И знаете почему? Она сказала ему, чтобы он похоронил... Словом, что это внешне должно выглядеть как могила для собаки. С табличкой «Марта».

— Как же она изменилась!

— Не то слово! Вы же знаете, что они натворили с Нечаевым... Эта бедная молодая женщина бросилась с моста! Тунцов до сих пор в больнице.

— Да-да, — словно очнулся Желтков. — Он же у нас в больнице лежит. Моя Люда сейчас в Крыму, а то бы сама занималась Тунцовым. Знаете, к нам в тот же день приехала одна особа, я не сразу узнал в ней жену депутата Краснова. Конечно, она была не в себе, проще говоря, напилась... Так вот, эта Наталья Краснова была подругой погибшей Ларисы Тунцовой. Она приехала, чтобы сказать Тунцову, который к этому времени уже успел прийти в себя, но все еще находился в тяжелом состоянии, чтобы он не переживал за детей, что они у нее, вместе с няней, что все под контролем. Она, что называется, лыка не вязала, но чувствовалось, что сердце у нее доброе, и мы все поняли, что в случае, если с Тунцовым что-нибудь случится, она сделает все возможное для этих детей, они никогда не попадут в приют. Следом за ней приехал сам Краснов. Мы все, кто наблюдал эту душераздирающую сцену, слышали все эти крики и рыдания Красновой, были уверены, что ее муж будет стыдиться своей жены, того, что она пьяна, словом, ее поведения, что попытается ее приструнить. Но уж на что я не люблю депутатов, я восхитился этим человеком. Он с такой любовью и нежностью обнял свою рыдающую жену, словно они в больничном коридоре были одни. Ни тени упрека, ничего... Похоже, он тоже горевал по случаю смерти Ларисы Тунцовой. Краснов поговорил с лечащим врачом Тунцова, вероятно, спросил, что нужно для лечения, лекарства или деньги... Словом, я понял, что Краснов не оставит ни больного Тунцова, ни его семью...

Он замолчал на несколько секунд, вспоминая события того вечера, потом посмотрел на Маргариту и, словно все еще не веря тому, что она ему сказала, переспросил:

— Значит, собачья могила? И это после всего?.. Да она просто чудовище!

— Думаю, что она ждала этого события все эти годы, причем принимая решение в самом начале и скрыв случившееся ото всех, кроме отца, поскольку одной ей это было просто не провернуть, она надеялась, что все это растянется ну максимум на несколько месяцев...

— С одной стороны, получается, что она проявила гуманность, а с другой — просто тянула лямку, не зная, чем это все закончится.

— Знаете, Петр, я даже думаю, что у нее в последнее время начались проблемы с психикой, что-то нарушилось в восприятии мира, она запуталась в элементарных вещах, понятиях, чувствах... Нормальная женщина так бы никогда не поступила. А она, значит, даже не приехала в Вязовку?

— Да она сто лет там не была, к счастью... Иначе нам бы не удалось установить эту конструкцию... Вязовка... Признаться, и меня тоже начинает колотить, когда я слышу это слово. Сразу вспоминаю свой первый визит туда... Хорошо, Маргарита Яковлевна, я все понял, и я согласен. А ваш Антон? Как он к этому отнесся?

— С пониманием, как же еще?

— Значит, нас уже четверо: вы, я, Гриша и Антон.

— Думаю, что самым главным человеком в этом действе будет господин Соболев. Главное, чтобы у него нашлась свободная минутка.

— Надеюсь. Знаете, почему я согласился? — Желтков встал из-за стола, подошел к окну и устремил взгляд в пространство, в чистое голубое небо, в котором не было ни облачка. — Мне хочется увидеть их лица... Так же, как они хотели увидеть лица всех тех, чьи жизни они сломали.

— Надеюсь, что это случится.

— Значит, в Крым я уже не полечу, — пробормотал Петр Борисович, продолжая всматриваться в небо и думать о своем.

— Я не поняла, вернее, не расслышала, — извиняющимся тоном проговорила Маргарита Яковлевна. — Вы что-то сказали про Крым?

Желтков повернулся к ней лицом и грустно улыбнулся:

— Вы когда-нибудь пробовали крымскую клубнику? Вот! Вы даже не представляете себе, какая она сладкая!

18

— Повтори, повтори, что ты сейчас сказал! Инга закрыла глаза, чтобы услышать это еще раз.

— Я просто сказал, — дрожащим от радостного возбуждения голосом повторил Нечаев, стискивая сильными пальцами хрупкие плечи жены, — что Журавлев сам, лично, позвонил мне и попросил приехать на шоу! Он объяснил мне, что эта поездка будет, возможно, ты понимаешь, возможно, полезна нам всем! Что после шоу нам предстоят переговоры! И когда я осторожно заметил, что мы с тобой не собираемся продавать наши права на шоу, он ответил, что все понимает, что это наши детища и что он не собирается отнимать их у нас, напротив, он сказал, что нам с тобой пойдет только на пользу московский воздух... Да, сказал он, это, конечно, не свежий ветер провинции, Москва загазована и все такое, но зато перед нами откроются такие перспективы!!!

— Московский воздух? И это тебе сказал сам Журавлев?

— Что же, я не знаю голоса Журавлева?!

— А Цилевич, он как к этому отнесся? Ведь он тоже в курсе?

— Сказал, что вырастил неплохие кадры... Но, судя по тому, каким тоном он это сказал, конечно, он расстроен. С другой стороны, у него в Москве появятся свои люди — мы!

— Нечаев, это победа? — прошептала Инга, обнимая мужа. — Неужели все наши беды позади? Неужели нас с тобой ждет Москва?! Прямые эфиры?! Лучшее эфирное время, рейтинги и деньги... Много денег... Мы купим там квартиру... Или лучше дом... — Она мечтательно закатила глаза. — Просто фантастика!

— Инга... Я вот что подумал... Ты присядь вот сюда, рядом со мной... — Нечаев усадил жену на диван. — Маша где?

— Я ее отпустила. Она сказала, что у ее мужа какие-то проблемы, что его нужно собирать в командировку... Словом, мы одни дома. Ты мне хочешь что-то сказать? Что-то важное, что приберег напоследок?

— Можно сказать и так... Инга, я никогда тебя не спрашивал о той квартире... Квартире твоего отца, которую ты сдавала после его смерти. Она занимает почти целый этаж дома... Находится в самом центре и стоит больших денег.

Инга побледнела, спина ее выпрямилась, она покачнулась, словно желая отодвинуться от мужа. Взгляд ее остановился на золотом цветке на обоях.

— Ты, я думаю, оценила, что все эти годы я ни разу не спросил тебя, куда ты тратишь деньги, полученные от жильцов... Я понимал, что ты имеешь полное право на них. Твои наряды, драгоценности, поездки — все это стоит денег... Но сейчас, я думаю, правильнее будет отказать жильцам, объяснить им, что у нас изменились планы, что мы хотим продать квартиру, что мы переезжаем, наконец, в Москву! Когда еще мы сможем заработать на хорошую квартиру в столице, а так купили бы небольшую квартирку поближе к «Останкино»... Инга, ау? Ты со мной? Считаешь, что это преждевременно? Так давай обсудим!

Она медленно повернула голову в его сторону. В эту минуту Нечаев показался ей совершенно чужим человеком. Больше того — врагом! Разве это муж, от которого в течение долгих лет она скрывала свою боль, перед которым не могла обнажить душу, рассказать о том, что мучает ее, что доставляет нестерпимые страдания?!

Нечаев. Почему она всегда боялась его? И все годы, пока они жили в браке, находилась в напряжении, стараясь ему угодить. Она много времени и денег тратила на то, чтобы всегда быть подтянутой, хорошо выглядеть, не стареть. Чтобы Нечаеву было не стыдно появиться с ней на людях. Чтобы он гордился своей женой. Она даже дома ходила в тщательно подобранной одежде и смывала макияж, только когда ложилась спать. Для мужа у нее всегда были припасены комплименты, слова утешения или поддержки. Она подбирала для общения с ним высказывания великих умов человечества, стараясь не выглядеть полной дурой. Страх, что он разочаруется в ней и заведет себе любовницу, заставлял ее ходить в тренажерный зал и на приемы к психотерапевту, единственной целью которого было помочь ей повысить самооценку. Она все эти годы жила как на пороховой бочке и каждый раз просыпалась с мыслью, что вот еще один день она прожила в браке с самим Нечаевым! Что она должна быть счастлива! Однако счастья не было. Она придумывала его себе сама.

А еще каждый день ждала звонка из Вязовки, ждала развязки этой затянувшейся драмы. Или даже трагедии.

Неужели этот день настал?

Она встала, скрестила руки на груди, нахмурилась:

— Саша... А ты обо мне вообще что-нибудь знаешь?

— В смысле? — Лицо его сразу же отразило недовольство и даже раздражение. За какую-то пару секунд! — Держишься за свое имущество, что ли?

— А почему бы и нет? Папина квартира — это все, что у меня есть!

— Да неужели? Помнится, папаша твой оставил тебе еще две квартиры в тогдашних новостройках, теперь, правда, это уже наверняка рухлядь. Но все равно... Заметь, я тебе первый раз об этом напоминаю. Это же ты у нас богатая наследница...

— Саша, прошу тебя, перестань...

Вот только бы не заплакать, только бы не расслабиться!!!

— Послушай, что твое — то твое. Я никогда ни на что и не претендовал. Но мы с тобой прожили почти четверть века вместе, думаю, что и я уже имею право на какую-то собственность...

— Мы достраиваем дом на Волге, у нас целый автопарк машин, гаражи, земля, акции, торговые площади на Центральном рынке... Это все — наше! Не мое, а именно наше, нажитое в браке. Мы могли бы купить и квартиру в новом доме, но ты же сам сказал, что тебя вполне устраивает эта, папина, извини... Почему бы тебе просто не забыть о папиных квартирах?

— Но денежка-то тебе капает... Я-то свое несу домой... А ты куда?

— Ты взял в кредит джип!!! Пижонский. Дорогущий!!!

— Все равно я все, что зарабатываю, несу домой, жене, а жена в это время ведет какую-то обособленную финансовую жизнь... Скажи, может, ты копишь деньги, чтобы бросить меня?

— Нечаев, ты что, сошел с ума?!

— Послушай, Инга, этот разговор назревал уже давно. Я тоже не вчера родился и многое понимаю и вижу. Нет у тебя никаких квартир. Ни тех, в Солнечном, как мы их называли, «новостроечные». Ни большой отцовской квартиры. Ты продала их, я проверил. Когда? Почему? Они же приносили тебе постоянный доход!

— Это не я их продала, Саша. — Она закрыла лицо руками. — Не я!

— Интересно, кто же тогда?

— Папа и продал. Незадолго до смерти. И если ты, как говоришь, проверил, то мог хотя бы обратить внимание на дату. Понимаешь, он очень хотел жить, очень... Мы с ним планировали отправиться в Израиль, где ему могли бы сделать операцию... Но он просто не дожил, не успел...

Нечаев какое-то время пытался осмыслить услышанное. Лицо его постоянно менялось, словно он упражнялся в гримасах.

— Постой, Инга... Хорошо, он не успел, значит, операцию ему не делали, в Израиль вы не ездили... Тогда где же деньги? Деньги на операцию, деньги, которые вы с ним выручили от продажи квартир... Где они? Или ты хочешь сказать, что они таинственным образом исчезли?

Он подошел к Инге совсем близко и жестом, не свойственным ему, приподнял указательным пальцем ее подбородок и заглянул ей в глаза, уже успевшие наполниться слезами, с чувством презрения и, как ей показалось, ненависти.

— Ну, давай, чего еще придумаешь? Папаша-то помер, теперь на него можно все свалить, да?

— Не смей разговаривать со мной таким тоном! — взвизгнула она, съежившись. — Мой папа много чего успел для нас с тобой сделать. И я не знаю, почему ты за все это время ни разу не спросил меня об этих квартирах...

— Да вы меня с вашим папашей и без того постоянно унижали, напоминая о том, кому я обязан своей карьерой и благополучием. Но я, честное слово, даже и представить не мог, что этих квартир уже нет, что они проданы! Ничего я не проверял, я не знал, что они проданы, и сказал это просто так... Я и молчал, надеясь, что ты собираешь за них деньги и складываешь, пусть даже и в свою кубышку! Твоя кубышка — моя кубышка. Разве не так? А сейчас я вдруг узнаю, что этих квартир давно нет, что твой папаша их продал! Может, он и продал, но денежки-то отдал тебе! И где они теперь?

— Я не знаю... — Она опустила голову и от стыда за свою ложь мысленно провалилась сквозь все этажи дома в преисподнюю. Как так могло случиться, что за все годы, что она скрывала все свои темные тайны, она так и не подготовилась к этому разговору, хотя знала, что наступит тот день, когда Саша захочет узнать, что стало с этими несчастными квартирами! — Правда, не знаю...

— Ну и сука же ты, Инга! — Нечаев схватил со стола стакан и с силой швырнул его в стену. — Ты подлая, лживая тварь!

— Нет, Саша, пожалуйста, не надо. Сейчас ты наговоришь такого, что я не смогу тебе простить, не смогу забыть. Не разрушай, прошу тебя, то, что есть между нами...

Нечаев, вероятно, вдруг вспомнив о недавней радости ожидания лучших времен, об открывающихся перед ним перспективах, где ему просто не обойтись без Инги, без ее поддержки, без ее шоу, наконец, отпрянул от нее, даже спрятав руки за спину, словно они помимо его воли могли бы ударить Ингу, сделать с ней что-то страшное, непоправимое! Он тяжело дышал, мысли его разлетались, не в силах оформиться в слова. У него был вид человека, который только что чуть не совершил убийство. Убийство своего будущего.

— Господи, Инга, ты прости меня... — Он привлек ее к себе, обнял. — Эта Москва... у меня просто крышу снесло... А эти квартиры... деньги... Там же должна была быть просто астрономическая сумма... А тебе самой не хотелось узнать, куда он их дел?

— Понимаешь... У него... у него, оказывается, была женщина... — Она придумывала уже на ходу, очерняя память отца и испытывая от этого чувство омерзения к себе. — Я и раньше подозревала, что у него кто-то есть... А у него, оказывается, была еще одна семья... Он скрывал их от меня, чтобы не травмировать, в память о маме... Кажется, там была дочь... Но я не знаю ни их фамилии, ничего... Думаю, что он все деньги им и отдал... Саша, дорогой, прошу тебя, давай забудем уже эту историю! У нас теперь все будет по-другому. Мы поедем в Москву, снимем там квартиру на первое время, а там — возьмем кредит, деньги-то у нас будут...

— Значит, ты простила меня? — Он обнял и прижал ее к себе, поцеловал в щеку, как девочку. — Все. Забыла, да?

— Проехали, Нечаев... Я тоже виновата, мне надо было рассказать тебе об этом раньше... Но у нас с тобой никогда не было финансовых проблем, никогда, и мой папа дал нам обоим хороший старт.

— Что-то нервы стали ни к черту...

— Когда мы едем? — она поспешила вернуться к теме, которая будет ему приятна и поможет забыть о пропавших деньгах.

— Через два дня. Завтра же закажу билеты на самолет. А ты давай собирайся.

Он снова обнял ее, потом принялся стряхивать с нее невидимые пылинки.

— Бог с ним, с твоим отцом, подумаешь, вторая семья... Многие мужчины так живут. Главное, чтобы у нас с тобой не было друг от друга никаких тайн. И чтобы у тебя не было второй семьи... Или, может, я чего-то не знаю?

Она улыбнулась ему в ответ, и улыбка вышла нехорошей, фальшивой, опасной.

19

Денис с Наташей Каленовой провели в Вязовке почти целый день. Ходили с видом туристов или потенциальных покупателей по селу, осматривали с умным видом дома, беседовали с местными жителями. Те, что помоложе, работали в городе или же занимались своими собственными фермерскими хозяйствами, старики же были рады поговорить, поделиться своими впечатлениями о Вязовке и о жизни в целом.

Редко кого из жителей они заставали просто греющимся на солнышке. Почти все население Вязовки занималось обычным сельским трудом: пропалывали грядки, собирали клубнику, прибирались во дворе, кормили скотину, заквашивали молоко и делали творог, чистили курятники, сараи, мыли полы, стирали белье, готовили еду.

Денис расспрашивал всех об «Ивовом доме», не продается ли, кто там живет, кто хозяин. Все говорили одно и то же: дом принадлежит какой-то женщине, которая раньше часто приезжала, а теперь там практически все время живет сторож Григорий. Тихий, вежливый, даже интеллигентный садовод, цветовод. Женатый, у него в городе жена. Кто-то сказал, что у него больной желудок, словом, проблемы со здоровьем. Кто-то сказал, что ему не так давно сделали операцию по удалению желчного пузыря. Еще говорили, что на своих цветах он просто озолотился, что выращивает их, а потом ездит в город продавать на рынке. Общается только с Иреной, живущей недалеко от моста, женщиной городской, но тоже помешанной на цветах. Что ее время от времени навещает племянница, школьница, очень красивая, вежливая такая девушка.

Наслушались Денис с Наташей и разных легенд, страшных случаев, фантастических историй, кошмаров.

Одна женщина рассказала, что у них в деревне жила старуха, у которой каждый год вырастали новые зубы, а некоторые утверждали, что зубы у нее росли аж в два ряда!

Рассказали, что из города приезжала одна молодая женщина, пряталась от мужа ли, любовника, беременная. Жила у одной старушки на окраине села и, не дождавшись родов, умерла. Ее похоронили, а с кладбища потом два дня доносился детский плач. Ну, люди, понятное дело, обратили внимание, разрыли могилу, а женщина-то живая! Оказывается, она пережила клиническую смерть. В гробу она родила ребенка, а потом кормила его грудью. За женщиной этой потом приехал какой-то мужчина и увез ее в город. После этой истории, чтобы ее не донимали журналисты, она уехала за границу, кажется, в Париж.

В брошенных, полуразрушенных домах Вязовки, оказывается, живут домовые. Реальные такие домовые, которые подметают свои дома, воруют у соседей хлеб и молоко, подсолнечное масло и теплые носки.

Повадились в Вязовку и инопланетяне — мужчина и женщина. Их видели ночью, очень похожи на людей, ходят, держась за руки, одетые во все белое, туда-сюда по улицам, а потом скрываются в лесу. Видимо, у них там зарыта или спрятана в кустах летающая тарелка.

Души умерших бродят по селу и стучат в окна.

Наслушавшись всей этой чепухи, Денис с Наташей зашли в местное кафе пообедать. Большое помещение, залитое солнцем, стены расписаны березками — все как положено. Заказали винегрет, куриный суп, гречку с котлетами и компот.

Кроме них, в кафе вообще никого не было.

— Минут через двадцать приедут наши трактористы, фермеры, им до дома далеко, они живут в соседнем селе, дизеля не напасешься, чтобы каждый день туда на обед ездить, — рассказала им полненькая, румяная повариха в красном фартучке. Ее золотистые волосы были украшены ободком с большим красным искусственным маком.

— Мы тут у вас дом присмотрели, на самой окраине, с высоким таким забором... — без особого энтузиазма повторил Денис то, что он говорил уже в течение нескольких часов пребывания в Вязовке. — Не знаете, не продается?

— Конечно, не продается. Это же не дом вовсе, — сощурив глаза и устремив взгляд в пространство, при этом поджав губы и вообще изменившись, произнесла повариха. — Меня вообще-то Надя зовут. Я это к чему... Думаете, не понимаю, что вы никакие не туристы и уж тем более не собираетесь покупать этот дом. Вы — журналисты, которые что-то разнюхали, но не до конца, вот и приехали, гуляете здесь, изображаете из себя влюбленную парочку. А вы расслабьтесь! Кушайте и слушайте меня!

Она посмотрела на дверь, словно не желая, чтобы ее услышал кто-то из посторонних.

— Это лаборатория, а может, частная клиника. Хотя разве можно назвать клиникой место, где детей режут на куски, потрошат их, а потом органы продают в Америку?!

Наташа посмотрела на Дениса. С ее вилки в тарелку упала порция розового винегрета.

— Да вы что? — прошептала она, делая вид, что верит каждому слову Нади. — Вы нас, получается, раскусили? Ну да, мы действительно приехали выяснить, что же скрывается за высоким забором этого дома. Нам в редакцию письмо пришло... — Здесь она запнулась, пытаясь придумать, о чем же было письмо, и тут Денис пришел к ней на выручку:

— Письмо от одной молодой женщины, у которой украли ее малыша. Она настаивает на том, что ребенка привезли в Вязовку и спрятали в доме на самой окраине, за высоким забором... Что ему собираются удалить почки!

— Наконец-то вы приехали! — Надя деловито отложила в сторону большущий черпак, вытерла руки о передник и подошла к их столику. Села напротив. Кокетливо поправила мак на виске. — Знаете, до вашего приезда мне никто не верил, что здесь творится что-то непотребное! Но я-то видела, видела собственными глазами... Я тогда была еще девчонкой.

— Что вы видели?

— У меня мать — травница, травы собирает и продает в городе на рынке. А я ей помогаю. Я вообще все травы знаю! Так вот, собираю я, значит, траву неподалеку от того дома, кажется, ромашку. Гляжу, выходит этот хмырь, Григорий этот, цветовод, мать его, с большим таким пакетом, ну, с мусором, чтобы погрузить в свою машину. Контейнеры для мусора у нас недавно только появились, мы же не Европа какая... А его мешок возьми и свались, открылся он, и оттуда вывалились бинты разные, вата... и все в крови!!! Еще ампулы, пузырьки какие-то... Я матери рассказала, но она у меня женщина спокойная, не впечатлительная, понимаете? Она сказала, что, может, Григорий этот заболел, может, перевязку себе делал, мало ли... Еще к нему раньше постоянно какие-то машины приезжали, мужчина выходил, с саквояжем, похож на доктора...

— Это интересно, — заметил Денис. — А что еще видели или знаете?

— Разве этого мало? А то, что он здесь столько лет живет, простой сторож, а денег у него — куры не клюют! Вы бы видели, сколько он тратит в нашем магазине! Покупает только деликатесы, рыбу разную копченую, икру... Масло и сметану покупает только домашние, с рук...

— Разве он не цветы продает? — осторожно поинтересовалась Наташа.

— Может, летом и продает, но зимой-то цветы не цветут, а у него теплица маленькая, у нас почти в каждом дворе такая есть, для рассады. Нет, он точно органы продает. Ему детей ночью привозят, ну, таких, усыпленных, чтобы не плакали... Он не цветовод, а убийца! Говорю же, органы детские продает в Америку.

— А почему в Америку? — спросил Денис.

— Да потому что там все дорого, — удивилась его вопросу Надя.

— Постойте, Надя, вы сказали, что у него теплица маленькая. А вы откуда это знаете?

— Там же ворота... Подошла. Посмотрела как-то в щель, увидела теплицу.

— А что еще увидели?

— Да в том-то и дело, что больше ничего! Дом стоит справа, сбоку, никак не могла увидеть его... Только сад, деревья, цветы и теплицу. Все.

— Вы в полицию не обращались?

— Нет, меня мать отговорила. Говорит, что у меня нет никаких доказательств, что там детей режут. Еще сказала, что в мусорном ведре может быть все что угодно. Напомнила мне, что, когда у нее был фурункул, у нас тоже были такие же кровавые бинты... И иглы, использованные шприцы... Ой! Извините. Это называется, приятного аппетита, да?

В это время дверь кафе распахнулась и вошли два посетителя, мужчины в синих комбинезонах. Надя бросилась им навстречу:

— Иван Дементьевич? Саша? Проходите, у нас сегодня куриный суп!

— Все это полный бред, никого он там не режет. Ты же сама слышала сегодня про инопланетян, заживо захороненную женщину... В таких вот селах у людей фантазия удивительно работает, — сказал Денис, когда они с Наташей вышли из кафе. — Ну что, осталось только навестить Ирену. Садись в машину!

Позвонила Лиза. Денис даже не успел завести

мотор. Замер, слушая ее внимательно, ловя каждое слово.

— Вот это новости так новости! Как же вы вовремя мне позвонили! А мы как раз собираемся к Ирене. Всю Вязовку обошли, таких историй наслушались... Потом расскажу. Правда, об этом доме никто ничего определенного сказать так и не смог. Так, одни догадки. И как нам себя вести? Думаете, брат уже позвонил ей, сказал, что Лена нашлась? Ах да, не нашлась, но все равно она жива!

Он весело посмотрел на удивленную Наташу и подмигнул ей.

— Хорошо, буду действовать по обстоятельствам. До связи!

— Лена жива? — спросила Наташа.

— Да, она позвонила отцу и матери как раз после того, как Пирский заплатил выкуп.

— Так что же это получается, это она все придумала? Организовала? И забрала деньги? Но этого не может быть! Это просто невозможно, я же хорошо знаю Лену. Она не такая! Удивительно, что вы все поверили в это.

— Ну, я-то, положим, не поверил, хотя я с ней лично и не знаком. А вот отец ее поверил. Понимаешь, просто все так сошлось... Ладно, Наташа, поехали к Ирене. Пора уже заканчивать это вязовское путешествие.

Ирена, как многие другие жители Вязовки, занималась делами в своем дворе перед домом. На скамейке выстроились в ряд новые цветочные горшки с насыпанной в них землей. Рядом стояло ведерко с рассадой. На женщине был длинный фартук, голову скрывала соломенная широкополая шляпа. На руках — хлопковые перчатки.

— А она симпатичная, — шепнула Наташа Денису перед тем, как окликнуть Ирену.

— Ирина Семеновна?

Ирена поднялась и, щурясь от солнца, посмотрела на гостей.

— Господи боже мой, да меня уже лет сто никто так не звал. Все меня знают как Ирену, — улыбнулась она. — Вы чьи?

Она подошла к калитке.

— Вы не к Татьяне пришли? Так ее нет дома, она в магазин только что отправилась.

— Мы к вам, Ирена, — сказал Денис. — От Елизаветы Сергеевны Травиной, адвоката. Меня зовут Денис...

— А я Наташа.

— А, от адвоката... — Лицо Ирены сразу же помрачнело. — Ладно, проходите. Я сейчас.

Она быстро сняла с себя фартук, оставшись в мужской рубашке и джинсах. Сняла шляпу, пригладила растрепанные волосы, стащила с рук перчатки.

— Пойдемте сюда, в тенек, в беседку. Холодного клубничного компота хотите?

— Конечно, хотим! — улыбнулся ей Денис, отлично понимая, что улыбка зачастую помогает снимать натянутость между незнакомыми людьми. — А у вас тут просто рай!

— Да, мне здесь тоже нравится... Наташа, пока я хожу за компотом, вы можете угоститься клубникой, вон, видите, на столе в беседке!

Она ушла, Денис с Наташей осмотрелись. Резная деревянная беседка, внутри которой стол с плетеными креслами. Солнечный свет, дробясь в решетке беседки, делал все вокруг пятнистым, уютным.

— Интересно, Пирский уже позвонил ей, сообщил о звонке Лены или нет? — спросила Наташа. — Знаешь, это только в кино все так легко, я имею в виду, ты смотришь и даже если видишь смерть или какие-то страшные вещи, то переживаешь совсем не так, как когда участвуешь в расследовании, связанном с человеком, которого ты хорошо знаешь. Я вот подруга Лены, мне кажется, что я знаю ее всю жизнь, и теперь, когда все крутится вокруг нее, когда к ее поискам подключены серьезные люди, мне кажется, что с ней все-таки не все в порядке, даже после этого звонка... Ну, куда она могла деться? А что, если это был вовсе и не ее голос, а просто запись? Или кто-то его сымитировал, чтобы убедить Пирского в том, что он выполнил свой отцовский долг, заплатив похитителям. Спрашивается, ну куда она могла деться?! Она современная, умная девушка, у нее под рукой всегда мобильник с Интернетом, она может позвонить, к примеру, мне и сказать, что, мол, я там-то и там-то, скажи моим, чтобы они не переживали, со мной все в порядке.

— Наташа, вероятно, есть причина, по которой она не может это сделать.

— Ты тоже думаешь, что у нее роман с Валентином? Что она запуталась и не знает, как ей дальше жить?

— Мы проверяли Валентина, он в городе, он никуда не уезжал. Так что ни о каком побеге Лены с отчимом и речи быть не может. Не думаю, чтоб для того, чтобы разобраться в своих чувствах к кому-либо, ей обязательно было сбегать из дома.

— Знаешь, Лена — очень серьезный человек... Понимаешь, я постоянно думаю о ней. Особенно с тех пор, как познакомилась с тобой и до меня дошло, что все очень серьезно... И эти деньги, которые она получила от отца. Ведь она могла взять эти деньги... гм... как бы одолжить у отца на время, понимаешь? Подумай сам, разве мог бы Пирский кому-то, тем более совершенно незнакомому человеку, одолжить такую крупную сумму денег? Двести тысяч евро!!! Да никогда и ни за что! Думаю, что он и Лене не дал бы эти деньги вот просто так, за здорово живешь. И раскошелился он именно тогда, когда речь зашла о ее жизни! А что, если она полюбила, к примеру, человека, которому понадобилась какая-нибудь дорогостоящая операция, вот они и придумали этот план. Так сказать, от отчаяния?!

— Что ж, ты лучше знаешь свою подругу. Но тогда уже нельзя сказать, что они одолжили деньги. Если операция, то деньги уплывут с концами.

— Знаешь, вот сказала тебе все это, а сама не верю... Ну, я понимаю, десять, двадцать тысяч долларов или евро, в это еще можно поверить, но двести тысяч?! Ведь это очень большие, повторяю, деньги. Нет, ну не могла она так подло поступить с отцом! Подло, подло... А она не такая... Я прямо не знаю, что и думать!

Как-то незаметно, очень тихо подошла Ирена с подносом, на котором стоял стеклянный кувшин с компотом и разноцветные высокие стаканы.

— Вы извините меня, молодые люди, но я случайно услышала ваш разговор... Я понимаю и зачем вы ко мне пришли, и о ком идет речь. Так вот, я Леночку знаю с самого рождения, она росла на моих глазах, а в последнее время мы с ней очень много общались. Да, она действительно очень серьезный, вдумчивый человек. И уж, конечно, не подлый. И если предположить, что это она придумала аферу с похищением и огромным выкупом, то у нее на это была ну очень серьезная, весомая причина.

— Ваш брат звонил вам? Вы знаете о том, что Лена позвонила родителям как раз в тот день, когда Пирский отдал деньги?

— Да, он позвонил, совсем недавно. Я сначала было обрадовалась, ну как же, Лена жива, а это самое главное, но потом подумала, что этот звонок мог быть фальшивкой...

— А я что говорила? — воскликнула Наташа. — Мне кажется, что и родители ее тоже так думают. Если бы с ней все было хорошо, она бы вернулась домой и все объяснила. Она же должна понимать, что впереди у нее целая жизнь и рано или поздно ей придется отвечать за этот поступок.

— Но это так не похоже на Лену! — в сердцах воскликнула ее тетка Ирена. — Иногда мне кажется, что ищут совершенно незнакомую мне девочку, мошенницу, которая решила грабануть своего отца! Я понимаю, конечно, обстоятельства жизни бывают самыми разными, и деньги могли понадобиться Леночке для чего-то очень уж важного, экстраординарного, но, поверьте мне, она непременно рассказала бы мне об этом, попросила бы совета, да и вообще она же знает, что у меня есть деньги, и я всегда бы ей помогла! Дала бы ей хотя бы часть нужной суммы! У матери бы попросила, и та бы не отказала, я уверена, тем более что она все свои деньги последние годы тратила на этого альфонса! Я сама лично позвонила бы Ольге, объяснила бы проблему, и та бы нашла. Из-под земли бы выкопала, если бы действительно было нужно для Лены. Плюс деньги Миши, и Лена получила бы необходимую сумму! Да я бы даже в кредит взяла тысяч пятьдесят евро! Дом бы заложила! Машину продала! Честное слово, ну не понимаю, что могло произойти... И сейчас, казалось бы, после ее звонка мне можно было бы успокоиться, а я, наоборот, еще больше волнуюсь за Лену. Понимаете, словно ею кто-то манипулирует, кто-то взрослый, алчный, циничный...

Ирена всхлипнула, отвернулась от Наташи с Денисом.

— Вот вы сказали, что ею кто-то манипулирует... — тихо проговорила Наташа, не уверенная в том, что вообще имеет право высказывать свое мнение. Уж слишком все было серьезно, если не трагично. — Этот кто-то — мужчина. Мужчина, в которого она влюбилась без памяти. Другого объяснения просто не существует. И я по-прежнему не исключаю, что этот мужчина — Валентин.

— Ирена, — обратился к ней Денис, чувствуя, что вопросами, которые он собирался ей задать, может лишь усугубить ее душевную боль. Однако не для того он приехал в Вязовку, чтобы слушать байки про захороненных заживо беременных женщин и домовых. — Что вы можете рассказать о Григории Брушко?

— О Грише? — удивилась Ирена. — А какое отношение он имеет к нашему разговору?

Денис вкратце рассказал ей обо всем, что знал о Брушко.

— Ему привезли гроб? Боже, я понятия не имею, для кого он предназначен! Гриша всего лишь сторож в этом доме! И даже если предположить, что кто-то из его окружения умер, то вряд ли он стал бы хоронить этого человека здесь, в Вязовке. К тому же, если бы и случилось что-нибудь такое, он бы непременно мне рассказал. Я не скажу, что мы с ним такие уж друзья, но состоим в хороших приятельских отношениях. Он замечательный человек, очень отзывчивый, внимательный. Надеюсь, что когда-нибудь мы подружимся и с его женой. Если уж вам так хочется узнать про этот гроб, а я уверена, что ваша сотрудница просто что-то напутала и это был никакой не гроб, то мы прямо сейчас можем пойти или поехать к нему и вы у него сами все спросите.

— И он впустит нас? Местные жители говорят, что он туда никогда и никого не пускал.

— Глупости! Я сколько раз у него была! Обыкновенный дом и необыкновенный сад. Он увлеченный человек, много денег и времени тратит на цветы. Селекцией, конечно, не занимается, просто разводит их для собственного удовольствия. Он их даже не продает! В сезон в его доме, вернее в доме, который он охраняет, во всех комнатах стоят вазы с цветами. У него прекрасный вкус, и из него получился бы неплохой флорист.

— Вы гарантируете нам, что он впустит нас в этот дом?

— Разумеется! Только я позвоню ему, предупрежу...

— Пожалуйста, не надо! — воскликнул Денис. — Нам бы хотелось прийти к нему как раз неожиданно.

— Но это, по крайней мере, невежливо. Постойте. Давайте уж поговорим начистоту. Вы его в чем-то подозреваете?

— Понимаете, Лена пропала... А тут этот гроб, в загородном доме...

— Денис, да вы понимаете, о чем говорите?

— Скажите, а между Григорием и Леной не могло быть никаких отношений?

— Совершенно исключено! Да он и видел-то ее мельком, когда бывал у нас. Лена же у него вообще никогда не бывала!

— Ирена, люди часто маскируются, выдают себя не за тех, кем являются на самом деле. Мы должны все тщательно проверить, чтобы убедиться, что Григорий не имеет к исчезновению Лены никакого отношения. Вот вы только что дали вашей племяннице исключительно положительную характеристику, между тем как она, возможно, выудила из кармана своего отца двести тысяч евро!!!

— Ладно... Пойдемте... Я вас познакомлю с Григорием, и вы сами сможете убедиться в том, что это за человек. Вот никогда бы не подумала, что буду участвовать в подобном... Только как вас лучше представить?

— Так и представьте: Денис и Наташа, помощники адвоката Травиной. Скажите, что мы помогаем в поисках вашей исчезнувшей племянницы. Я буду разговаривать с ним таким образом, что он и не догадается, что я его в чем-то подозреваю. Просто задам ему вопросы, связанные с Леной: когда он ее последний раз видел, одну или с кем-то...

— Да он будет в полном недоумении! — возмутилась Ирена. — Из-за ваших совершенно беспочвенных подозрений я могу потерять друга! А вы — время! Ладно, пойдемте...

Бедная женщина так расстроилась, что за весь путь, пока они ехали до «Ивового дома», не проронила ни звука.

Машину оставили у ворот, Денис позвонил. Ирена стояла чуть поодаль, задумчивая, притихшая, вероятно, так и не смирившаяся в душе с тем, что согласилась участвовать в этом действе.

Шло время. Денис продолжал звонить, но к воротам так никто и не подошел.

— Его нет дома, — сказала Ирена. — Он никогда не позволил бы кому-то так долго дожидаться у ворот. Давно бы уже вышел, и если бы и не впустил чужих в дом, то уж точно поговорил бы, ответил на вопросы.

Она вздохнула с облегчением:

— Вы отвезете меня домой?

И в эту самую минуту послышались шаги и мужской голос спросил:

— Кто там?

20

— Ну, что ж, подведем итоги, — сказала Лиза, заняв председательствующее место за своим столом. В кабинете в этот поздний час было свежо, в открытое окно вливался прохладный, настоянный на бензиновых парах и цветущей сирени городской воздух. Он смешивался со сладким, крепким ароматом свежесрезанных пионов, букет которых привезли из Вязовки Денис с Наташей.

Глафира и Денис, уставшие, сидя на своих рабочих местах, слушали Лизу.

— Констатирую, что мы ни на миллиметр не продвинулись в нашем деле, связанном с пропажей Елены Пирской, — нахмурив брови, произнесла Лиза. Лицо ее имело озабоченное выражение, настроение — хуже некуда. — Полиции не удалось поймать того, кто пришел за деньгами Пирского. И хотя все указывает на то, что эту аферу провернула сама Лена, близкие ей люди утверждают, то ее заставили это сделать. Просто не тот она человек, чтобы обокрасть собственного отца.

Мы с помощью Сергея Мирошкина проделали некоторую работу и выяснили, что Валентин Иванов, муж Ольги Пирской, последние две недели провел в городе, где много раз встречался за спиной жены с девушкой по имени Светлана Янтарева. Она его сокурсница, художница, они вместе учились в художественном училище. Она, кстати, замужем, но с мужем они не живут, она проживает в своей мастерской, неподалеку от драмтеатра. За Ивановым следили, фиксировали каждый его шаг: никакого романа с Леной Пирской, своей падчерицей, у него нет. Он, похоже, влюблен в Янтареву. Позавчера, к примеру, он купил ей перстень в ювелирном магазине.

Сегодня мне позвонил Пирский и сказал, что Ольга нанимала частного детектива, который следил за ее Ивановым и принес ей доказательства его измены. У Ольги была истерика, она собрала его вещи и вынесла из дома. Потом позвонила своему бывшему мужу, Пирскому, и попросила его приехать. Как он и предполагал, она собиралась рассказать ему о звонке дочери. Ну а он, в свою очередь, к этому времени созрел для того, чтобы сообщить и ей о звонке Лены. Не исключено, что они снова сойдутся. Все это замечательно, да только Лены-то нет! Мы ее не нашли. Все ходим кругами, но результатов пока нет.

Гера Туров здорово помог нам, обратив внимание на то, что рядом с моргом находятся склады с установленными видеокамерами. За бутылку коньяка мне удалось раздобыть записи того дня, когда в морг приходила группа студентов. Мы со сторожем Михалычем просмотрели их и обнаружили очень интересную деталь. Когда группа студенток подошла к дверям морга, из припаркованной неподалеку машины вышла девушка, рыжая, в очках, как он и говорил.

— То есть она приехала как бы самостоятельно? — спросила Глафира.

— Ну да. Мединститут находится в двух шагах от морга, и группа студенток пришла пешком. Эта же, наша, приехала одна и присоединилась к группе. Видно, как она разговаривает с одной из девушек, вероятно, объясняет ей, кто она такая и почему хочет зайти вместе с ними.

Гера связался с человеком из мединститута, попросил выяснить, какая группа с какого курса была в тот день в морге, и получил список студентов. Потом отправился в деканат, объяснил ситуацию и попросил пригласить с лекции хотя бы одну из студенток, чтобы расспросить ее об этом дне, о посещении морга. Вызвали студентку Валееву, и она рассказала, что да, действительно, к ним в последний момент присоединилась студентка из параллельной группы, она ее прежде никогда не видела. Свое присутствие девушка объяснила тем, что никак не может преодолеть себя, боится покойников. Сказала, что напилась валерьянки и теперь попробует зайти в секционную. Абсолютно никто не обратил на нее внимание. Вероятно, такое практикуется. Ну а потом она действительно как будто бы грохнулась в обморок, и ее отнесли в ближайшее помещение без покойников — каморку сторожа. Ну а остальное вы уже видели.

Вы, наверное, хотите спросить о машине, из которой вышла девушка. К счастью, с помощью Сергея Мирошкина и его специалиста нам удалось увеличить изображение машины и, главное, номера. Мы пробили, кому принадлежит машина: Клец Людмила Ивановна. Она работает в частном архитектурном бюро «Арт-Монфер»... Пижоны! Был такой известный архитектор Огюст Монферран! Думаю, они оттуда слямзили это название!

— Лиза! Ты что, архитектурой увлекалась? — удивилась Глафира, которой это имя ни о чем не говорило.

— Вообще-то он построил Исаакиевскй собор в Питере! А я, когда еще в школе училась, была там на экскурсии, мы в этом соборе прятались от группы... Ходили за всеми экскурсоводами, держась за руки... Дураки. Вот и запомнила имя архитектора, — слабо улыбнулась Лиза. — Так вот. Я разыскала эту девушку, Людмилу Клец. Серьезная такая, большая умница. Я сказала ей, что хочу построить загородный дом...

— Постойте! — вдруг прервал ее Денис. — Клец... Фамилия-то редкая, запоминающаяся. Мне кажется, я ее уже где-то встречал. Совсем недавно... Постойте... Мне надо срочно позвонить Наташе.

Он набрал ее номер:

— Наташа? Привет, это я. Слушай, ты мне сегодня рассказывала о каком-то парне, однокласснике Лены, у него еще фамилия такая странная... Похожая на клецки. Клец?! Ух ты, здорово! Спасибо тебе. Как, говоришь, его зовут? Вадим? Вадим Клец, значит...

Денис слушал, уставившись в одну точку — на пуговицу Лизиной блузки.

— Невероятно!!! Еще раз спасибо! Я позвоню тебе попозже, я сейчас очень занят...

Денис закрыл телефон. Лицо его сияло.

— Слушайте, да это просто фантастика! Вадим Клец — сосед по парте, чьей бы вы думали?

— Неужели Лены Пирской? — предположила Глафира.

— В точку! Ну, наконец что-то сдвинулось с мертвой точки! Лиза, Глафира, Вадим Клец — сосед по парте! А теперь давайте себе представим, какие отношения могли связывать Лену с соседом по парте?

— Да никакие! — сказала Лиза. — Я вон сколько лет просидела за одной партой с Андреем Кондратьевым, и что? Я тихо презирала его, а еще ненавидела за его желтые угри на носу... А еще...

терпеть не могла, когда он заглядывал в мою тетрадку, убить была готова!

— Заглядывал, говоришь, в тетрадку? — переспросила Глафира. — Послушайте, мы проверили ноутбук Лены, ее домашний компьютер... Даже телефон! А теперь представь себе, Лиза, что в твоей жизни появилась тайна. Пусть это будет человек, связь с которым тебе захотелось бы скрыть ото всех, даже от близкой подруги. И ты готовила бы с ним побег. Что бы ты делала? Как бы обезопасила себя на тот случай, если тебя будет искать полиция?

— У меня было бы два, а то и три телефона, причем один из них был бы зарегистрирован на мое имя, и с него я звонила бы маме-папе, подружкам, а с других, зарегистрированных на доверенных лиц, телефонов — только своему парню. И ноутбук у меня был бы запасной, чтобы о нем никто ничего не знал. Планшет! Планшет, оформленный на кого-то другого. И после того, как я сбежала, никто бы просто не смог копаться в моей переписке с парнем. Никто бы не смог проверить мои телефонные звонки. Все очень просто!

— Все правильно! А теперь представь, что ты очень, ну просто очень влюблена и минуты не можешь прожить, чтобы не поговорить, не написать любимому? Между тем ты ведешь жизнь нормальной школьницы, то есть ходишь на занятия и так далее...

— Буду сидеть за партой, прикрыв планшет тетрадкой, и строчить ему слова любви!

— Или?...

— Или договариваться с ним о побеге, — оживилась Лиза. — А Кондратьев будет подсматривать мои записи...

— Правильно!

— Извините, что я встреваю в ваш женский разговор, — покашлял в кулак Денис. — Я поддерживаю Глафиру в ее предположениях... Думаю, что сложилась такая ситуация, когда Лене пришлось неожиданно и очень быстро выйти из класса, так быстро, что она не успела выключить планшет или просто, как вы говорите, прикрыть его тетрадью. Возможно, ее затошнило или ей нужно было в туалет. Скорее всего, в тот день, когда Вадим Клец заглянул в ее планшет, причем просто так, от скуки, Лена отсутствовала довольно долго. Если вы не против, я прямо сейчас позвоню Наташе Каленовой и узнаю, не помнит ли она чего-нибудь подобного, причем это должно было произойти незадолго до побега или похищения Лены, то есть приблизительно две недели тому назад!

— Это были как раз майские праздники! Три дня школа не работала, значит, это могло произойти накануне, в конце апреля, — поддержала его Глафира. — Звони Наташе!

Денис ушел звонить на улицу.

— Планшет! Как же я раньше не догадалась! — сказала Лиза. — Конечно, она планировала побег тщательно, и переписка должна быть серьезная, долгая, со всеми деталями, нюансами. Побег сидел у нее в голове, дело-то серьезное. Кроме этого, она не могла ни о чем и думать! И планшет в таком деле — идеальное средство связи!

Она позвонила Ольге Пирской:

— Ольга, здравствуйте! Как ваши дела? Нет ли новостей от Лены? Ясно... Да, мы занимаемся ее поиском. Скажите, пожалуйста, сколько компьютеров, ноутбуков, планшетов было у Лены? Ага... Значит, один компьютер стационарный в ее комнате, — Лиза смотрела на Глафиру и кивала, слушая Ольгу Пирскую. — Плюс ноутбук, с которым она практически не расставалась, можно сказать, спала с ним... Понятно. Что еще? Планшет... — Лиза вздохнула. — Да, понятно. Дело в том, Ольга, как мы предполагаем, что именно с помощью этого планшета, который, как вы понимаете, сразу же после исчезновения Лены пропал и из вашего, и из нашего поля зрения, она и договаривалась о своем побеге. Вот почему мы не смогли отследить важную для всех нас переписку Лены с тем человеком, который помогал ей и который, возможно, имеет отношение к похищению денег. Хотя последнее под вопросом, открылись новые обстоятельства... Надеюсь, что вскоре появятся и хорошие новости. Что? А, хорошо, я подъеду к вам сегодня, обязательно! Всего хорошего!

Вернулся Денис, по его лицу было нетрудно догадаться, что у него хорошие новости.

— Ну что, как я и предполагал, так все и было! Оказывается, Лена готовилась к выступлению на школьном концерте, посвященном Первомаю. Она должна была петь и участвовать в инсценировке! По этой причине ее постоянно срывали с занятий! Кроме этого, в этом лицее как раз в конце апреля произошло чрезвычайное происшествие: в кухню завезли испорченные продукты. Это был такой скандал! Лицей считается дорогим, престижным... Словом, дети отравились молочными продуктами. Несколько человек из Лениного класса были отправлены в больницу. Лена ехать отказалась, хотя и у нее тоже налицо было отравление. Словом, у Вадима Клеца было достаточно времени, чтобы, сидя за так называемой партой, зачитываться перепиской соседки со своим парнем или с кем-то там, мы не знаем... То ее неожиданно на репетицию вызовут, потому что приехала какая-то там пианистка, аккомпаниаторша, с которой ей предстояло выступать, то у нее, извините, живот прихватило, то ее затошнило...

— Все понятно! У меня есть адрес Клеца, прямо сейчас к нему и поедем. Но перед этим мне хотелось бы узнать и ваши новости.

— Я была у Брушко, разговаривала с женой Григория, Марией...

И Глаша подробно передала свой разговор с ней, показала запись, сделанную с помощью видеоустройств.

— Не знаю, как вы, но я лично так и не понял про этот гроб... Вроде бы она выглядит очень испуганной, она так и говорит, что испугалась твоего визита, Глаша, — сказал Денис. — А с другой стороны, когда муж по телефону объясняет, что он похоронил собаку, то вроде как и успокаивается. Все как-то неопределенно, мутно...

— Но ты-то там был, у Григория в Вязовке, рассказывай, удиви! — сказала Лиза. — Вон как глаза-то блестят...

— У меня тоже полный ноль, — пожал плечами Денис. — Приехали мы туда вместе с Наташей и Иреной. Сначала нам долго никто не открывал, а потом появился Григорий. Знаете, я после всех этих разговоров о нем, о гробе представлял себе его ну просто этаким злодеем. А калитку нам открыл очень приятный с виду мужчина. Такой спортивного типа, подтянутый, какой-то весь аккуратный и жутко обаятельный.

— Вот интересно, как ты объяснил ему свой визит? — спросила Лиза.

— Я сказал, что журналист, что редакция, в которой я работаю, поручила мне собрать сведения об «Ивовом доме», в котором, по мнению местных жителей, происходят какие-то страшные вещи. Будто бы там убивают детей, разбирая их на органы, а трупы потом вывозят на специальной машине... Врал так вдохновенно, как еще никогда прежде не доводилось. Короче, все то, что услышал от местных жителей, я сдобрил собственными фантазиями и вывалил этому Григорию на голову.

— И что он? — спросила Глафира.

— Что? Реакция у него была потрясающая — он расхохотался!

— Еще я сказал ему, что люди видели, будто бы он заносит туда гроб, буквально вчера! И вот как будто бы по тревожному сигналу я и приехал в Вязовку, чтобы встретиться с обитателями дома, выяснить, так ли все это или нет. Я был уверен, что он не впустит нас туда, приготовил какие-то доводы, аргументы, чтобы он позволил нам хотя бы глазком взглянуть на дом. И вот представьте себе мое удивление, когда он совершенно спокойно пригласил нас всех к нему зайти! И это после того, как все местные жители, как один, рассказывали, что никогда и никто там не бывал, что даже, когда он раздавал женщинам рассаду, он не впускал их на участок, мотивируя это тем, что дом не его и что хозяйке бы это не понравилось.

— Неужели ты проник в дом? В сад? — не поверила его словам Глафира. — Ты молодец, Денис!

— Да, мы совершили целую экскурсию по саду, он показал нам все свои цветы, хотя их пока мало, май же еще... У него все в полном порядке, трава подстрижена, грядки ровные, как на подбор. Я обошел сад, все закоулки, но ни одной могилы, конечно, не обнаружил. Ни одного холмика, ничего, под чем могло бы скрываться тело. Ни таблички с именем собаки, ничего, говорю же!

— Ну, правильно, жена ведь его предупредила, — сказала Глафира.

— Да, это так. И гроб, я думаю, все-таки был. Потому что в углу сада дымились остатки костра... Понимаете, с моей стороны было бы глупо, если бы я подошел к нему поближе, чтобы понять, что там горит, вернее догорает. Григорий, махнув рукой, сказал небрежно так, что там он сжигает мусор. Все. Но могилы в саду точно нет, повторю, и ни одного холмика.

Потом он пригласил нас в дом. Дом очень крепкий, добротный, может, и простой с виду, но внутри оснащен всем необходимым. Просторные комнаты, большая кухня... Григорий провел нас абсолютно по всем комнатам, но ни одного помещения, которое могло бы служить лабораторией или операционной, я не увидел. Спускались мы и в подвал. Понимаете, там хоть и прибрано, но повсюду тонкий слой пыли, это нормально... Я к тому, что там никаких глубоких подвалов или помещений тоже нет. Абсолютно чистый, очень большой дом.

Конечно, я задал ему самый главный вопрос: зачем его хозяйке, которую он называл Илоной, такие расходы, связанные с содержанием дома. Он сказал, что этот дом, то, что он есть, как бы придает ей сил, по ее же словам. Что даже если рухнет ее бизнес (а чем она занимается, он не знает, кажется, у нее типографии или издательства, что-то в этом роде) и она обанкротится, то ей есть куда вернуться. Григорий рассказал, что для его хозяйки важно, чтобы дом оставался жилым, теплым. Я спросил его, замужем ли она, на что он сказал, что вроде бы она вдова, он точно не знает. На мой вопрос, с кем она сюда приезжает и как часто, он ответил, что ему не за то платят деньги, чтобы он рассказывал посторонним о частной жизни хозяйки. И даже этот ответ получился у него вежливым, словно он очень боялся кого бы то ни было обидеть.

— Он как-то проявил свои чувства, отношение к Ирене? — спросила Лиза.

— Да, он не скрывал своей радости по поводу ее появления. С пониманием отнесся к тому, что она проводила нас, то есть журналистов, в его дом. Сама же Ирена чувствовала себя явно не в своей тарелке, считая свое участие в этом визите чуть ли не предательством. Отношения у них действительно приятельские, они прекрасно ладят. Так, на наших глазах Григорий вернул ей какой-то контейнер, сказал, что мясо было восхитительным и что теперь его очередь угощать ее. Вот такие отношения!

Понимаете, это нормальные, очень приятные в общении люди! И если бы не гроб, который тебе, Глаша, может быть, привиделся, нам и не пришлось бы наведываться в «Ивовый дом» и связывать его с пропажей Лены.

— Вы что, не верите мне? Или я ослепла? Это был гроб!!! Гроб, сколько можно повторять?!

— Глаша, да я не хотел тебя обидеть! — Денис бросился к ней и едва сдержался, чтобы не обнять ее за плечи. — Не хватало еще, чтобы ты заплакала! Сам не знаю, зачем это сказал... Просто Григорий Брушко показался мне достойным человеком, понимаете? Причем я не знаю, как это объяснить. Просто я почувствовал к нему симпатию. Больше того, разговаривая с ним, находясь рядом с ним, я вдруг поймал себя на мысли, что хотел бы иметь такого человека среди своих друзей. Он какой-то настоящий. И мне после встречи с ним были понятны чувства Ирены, которая так не хотела нас отводить туда. Она тоже дорожит его дружбой. Если бы, повторяю, не этот гроб...

— Гроб он наверняка сжег прямо перед вашим появлением, и сигнал он получил от жены. Он все понял — что мы им заинтересовались. Может, он на самом деле хороший человек и ничего плохого не совершал и ни в чем не замешан. Но я верю Глаше — гроб был. — Лиза поднялась из-за стола, давая понять, что разговор близится к завершению. — Мы почему-то решили, что этот гроб был предназначен для кого-то... для Лены... Глупости все это! В гробу ему могли что-то привезти... Хотя это тоже смахивает на бред. Не знаю... Но этот костер, Денис... Похоже, Григорий действительно гроб сжег, когда узнал от своей жены, что им заинтересовались. Ты же не спросил его в лоб, зачем ему понадобился гроб?

— Конечно, нет.

— А вот я бы на твоем месте спросила, — сказала обиженная Глафира.

— Я так думаю, что мы в скором времени обо всем узнаем, и поможет нам в этом Ирена. Уж она не промолчит и при удобном случае расспросит Григория об этом гробе. Возможно, уже спросила, когда они остались вдвоем. Думаете, ей это не интересно? Она, как и всякая другая женщина, любопытна. К тому же ей и самой будет важно узнать о своем друге все то, что вызвало такой живой интерес у вас.

Все, друзья мои, а теперь предлагаю всем отправиться к Вадиму Клецу и уж потом — по домам.

21

Дом отдыха «Синий залив», расположенный на окраине волжского села Синенькие, стал для Вадима настоящей тюрьмой. Если, находясь в городе, он мог выйти из дома и затеряться в людской толпе, смешаться с нормальными, не замешанными в мерзких делах людьми, раствориться в самой жизни, то здесь, даже выйдя из своего номера, он мог смешаться только с березами, тополями, лугами и рекой. Вокруг было тихо, люди бродили по аллеям со счастливыми, как ему казалось, лицами, и даже если эти люди и были обременены проблемами, они ничего не стоили по сравнению с тем, что мучило его. Они не были преступниками. Возможно, у кого-то из этих отдыхающих здесь женщин и мужчин были сложности в личной жизни, не хватало денег, не ладилось что-то на работе, может, они были больны, но им не грозила тюрьма. Иначе они бы не поглощали свои завтраки, обеды, полдники и ужины с таким аппетитом. Они все были нормальными людьми. Разговаривали, смеялись, наверняка крепко спали. И никому из них не пришло в голову пробраться ночью в морг, чтобы кусачками отрезать палец у мертвой девушки.

Если хотя бы кто-то из этих людей узнал, кто находится среди них, кто сидит за одним с ними столиком, бредет рядом с ними по аллее, сидит на берегу реки с задумчивым видом, они бы шарахались от него, показывали бы на него пальцами, плевали бы ему вслед и кричали: «Извращенец! Урод!»

Вадим не знал, как ему выкарабкаться из своего кошмара, как привести в порядок мысли и чувства. Он не находил себе места, просто не знал, как ему жить дальше.

Те радужные перспективы, которые рисовала сестра, девушка со стальными нервами и явно без сердца, казались ему детскими рисунками, он не верил ни единому ее слову. Да, конечно, потратить деньги, чтобы купить дом во Франции, она сможет, не так-то это и сложно. Но вот взять его к себе, постараться помочь ему устроиться в новой жизни, окружить теплом, любовью и заботой, как это делали его родители, люди, которых они с сестрой презирали за их скучную, наполненную трудом и мелкими радостями жизнь, она не сможет. В лучшем случае она поселит его в одной из комнат своего дома, займется устройством личной жизни, карьерой, а потом, когда осознает, что он для нее — напоминание о преступлении, которое они совершили вместе, постарается избавиться от него и, скорее всего, отправит обратно в Россию, домой, к родителям. К тем самым родителям, от которых они сейчас собираются сбежать. А что родители? Чем уж они так плохи? Ну да, они обыкновенные люди со средним достатком, книг не читают, в театры и музеи не ходят, все свое свободное время проводят на садовом участке, выпалывая сорняки и выращивая картошку с помидорами, осенью собирают грибы, солят их, чтобы потом продавать на базаре. Все заработанные деньги плюс арендная плата за маленькую квартирку, оставшуюся после смерти бабушки, они тратят на оплату лицея, чтобы он, Вадим, получил хорошее образование. И когда у него возникают проблемы с учебой, когда родителей вызывают к директору или классному руководителю, чтобы рассказать об этом, как могут они не реагировать? Конечно, отец кричит на него, оскорбляет, мать плачет, жалея его... Дома скандалы. Он едет к сестре, живущей отдельно, жалуется ей на родителей, она жалеет его, говорит, что это не жизнь, потом перескакивает на свою излюбленную тему, что в России вообще жить невозможно, что нужно «срочно валить отсюда», «были бы бабки»...

Синенькие остались позади, Вадим сидел в служебном автобусе, курсировавшем между домом отдыха «Синий залив» и областным центром, смотрел на проплывающие мимо него безжизненные степи, зеркала подслеповатых озер и прудов, в которых отражалось белое небо, села с огородами, в которых трудились такие же простые трудяги, как и его родители, и ему вдруг захотелось поехать на дачу, туда, где уже несколько лет, освободив Вадиму свою городскую квартиру, жили мама с папой. Захотелось оказаться в маленькой кухне, занять свое излюбленное место возле окна и чтобы мама накормила его своими варениками с творогом. А еще захотелось сладкого клубничного компота, который мама всегда варила в мае—июне, когда начинала поспевать первая клубника. И пусть отец поворчит, пусть даже стукнет кулаком по столу, мол, ну и балбес ты, сынок, вместо того чтобы нормально учиться, оправдывая те деньги, что мы на тебя тратим, ты на уроках ворон считаешь... И в кого ты такой урод?

Он согласен был даже услышать все это, чтобы потом, когда отец уже успокоится, пойти вместе с ним в гараж, чтобы подремонтировать старый мотоцикл или проверить тормоза на его «Фольксвагене». Отец будет ему рассказывать о своих делах, о соседях, о том, как мать устает, что у нее суставы начали болеть, быть может, они поговорят даже о политике, о том, что беспокоит его, а потом мать позовет их обедать. И будут кислые щи, пюре с котлетами, салат из первых парниковых огурчиков, чай с булкой и халвой... И будет крепкий здоровый сон. Без кошмаров, без морга, без той девушки, которая не почувствовала, как ей откусывали палец...

Если бы он был сценаристом, то непременно вставил бы в фильм сцену, где эта мертвая девушка, являвшаяся в кошмарах главному герою, шептала, и голос ее разносился бы по всей Вселенной: «Мне больно, мне очень больно!»... Или: «Отдай мой палец!»

Волна тошноты снова подкатила к горлу. Они подъезжали к городу, автобус катил в сторону вокзала. Проехали мост, большую торговую площадь, показались железнодорожные постройки, ангары, склады, прачечные, станционные домишки, ряды запыленных тополей.

От вокзала до дома — рукой подать. Вадим вышел из автобуса, покачиваясь. Его вырвало в общественном туалете. Хотя там стошнило бы любого чувствительного и относительно здорового человека от одного запаха нечистот.

Он умылся и вышел на улицу. Глотнуть свежего воздуха не получилось: на улице стоял запах гари, копоти, этого же туалета и дыма от вокзальной шашлычной.

Он пешком побрел домой. Зашел в темный, провонявший кошачьей мочой подъезд. «Надо валить отсюда», — вспомнились ему слова сестры.

Поднялся, открыл дверь своими ключами. За дверями спальни слышались голоса. Он подошел, прислушался.

— Говорю же, город Тарб! Ты слушаешь меня или нет? Читаю дальше: «Дом меблирован и оснащен всей бытовой техникой, камин (дрова во дворе), косметический ремонт, но это Франция — они ремонт делают раз в 50 лет, так что там вполне прилично, все чисто...» Хватит курить, уже вся квартира провоняла твоими сигаретами! Вот купим дом, уедем отсюда и начнем новую жизнь! Бросим курить! Я по утрам буду тебе варить какао...

— Ты меня за дурака, что ли, держишь? — раздался низкий мужской голос. — Ты уж определись, кому какао собираешься варить, мне или своему братцу.

— Лева, какой братец, о чем ты? Он еще школьник! Ему сначала надо лицей окончить, потом в институт поступить, чтобы получить профессию. Да у него к тому времени уже своя жизнь начнется, студенчество, девушки, новые планы... И не факт, что он захочет к нам приехать. К тому же, может, и у нас к тому времени уже ребенок будет, семья...

— Какой ребенок, Люся?! Слушаю тебя... Ну, ты точно дура! У меня своих двое спиногрызов, нет, спасибо, я уже наелся этой семейной жизни.

Наступила тишина. Сестрица осмысливала новую для себя информацию. Вадим слушал, затаив дыхание. Значит, домик во Франции, который не требует ремонта, предназначается для Левы, дружка Милы. Мордоворот, которому она всегда, не стесняясь в выражениях, давала меткие характеристики: жлоб, урод, ничтожество, лох... А теперь она собирается взять его с собой во Францию, чтобы там готовить ему какао и кормить круассанами.

Всю площадь спальни занимает огромная родительская кровать, где последние пять лет спит (обитает, ест, лежит, дремлет и вообще живет) Вадим. Значит, Мила сейчас в спальне лежит в обнимку с отцом двоих брошенных детей, Левой, и строит планы на будущее. И Вадим в ее планы уже не входит. Он сделал свое дело, получил психическую травму в комплекте с кошмарами, бессонницей, страхами и хронической тошнотой, и теперь он ей уже не нужен.

А что они вообще здесь делают, ведь у Милы есть своя, пусть маленькая, но вполне чистенькая, благоустроенная квартирка?

Вадим вышел на цыпочках из квартиры и вошел в нее вновь, только уже шумно, с хлопаньем дверью, звоном ключей, как может заходить только хозяин.

Он только успел разуться и надеть домашние тапки, как дверь спальни распахнулась, и оттуда выпорхнула полуодетая, в короткой сорочке, растрепанная и растерянная Мила. Улыбнулась ему дурацкой улыбкой:

— Вадик? А ты как здесь? Ты же вроде должен быть в Синеньких!

— Да надоело... Скука! — ответил он, пытаясь пройти в спальню.

— Подожди, не спеши. Да стой ты! — она схватила его за руку. — Я не одна...

— Ты чего, Мила?! По-моему, я пришел домой!

— Понимаешь... — Она закусила губу. Мила была румяная до неприличия. И какая-то вся влажная, пахнущая мужчиной. — Мне нужно собрать еще немного денег на дорогу. Твое пребывание в Синеньких мне влетело в копеечку. Вот я и решила сдать свою квартиру. Всего на пару месяцев! Я подумала, что ты не будешь возражать.

— А меня спросить забыла? — огрызнулся Вадим, отталкивая сестру и врываясь в спальню.

Там голый Лева, слегка прикрыв ляжки простыней, курил, с презрением глядя на застывших на пороге брата с сестрой.

— Оба-на! — Он прищелкнул пальцами свободной руки и заржал. — Картина Репина «Не ждали»!

И закатился в смехе, показывая здоровую, набитую белыми крепкими зубами пасть.

— Лева... Тут такое дело... Вадим вернулся... — И Мила, сверкнув глазами на брата, прошипела: — Мог хотя бы позвонить!

— Пацан, ты подожди там, за дверью! — по-хамски щерясь, жирным баском гаркнул Лева. — Дядя тебя позовет, когда можно будет.

— Лева, ты что, идиот?! Это же мой брат, Вадик!

— Ой, что вы такое говорите, мадам? Вспомнила, сучка, про брата? А ты знаешь, Вадим, что эта сука решила тебя кинуть? Ты ей бабло заработал на виллу во Франции, а она и не думала тебя туда с собой брать. Она меня хотела с собой взять. Ну или не меня, а кого-нибудь другого, у нее этих мужиков знаешь сколько?

Мила бросилась на любовника и попыталась столкнуть его с кровати.

— Какие же вы все гады, подонки!!! — Она била Леву подушкой по голове наотмашь, а тот хохотал, держась за живот.

— Дуры бабы, дуры бабы, бабы — бешеный народ!!! — Он, продолжая гоготать, скатился под ее ударами с кровати, встал во весь свой могучий рост и принялся, смешно прыгая на одной ноге, надевать полосатые плавки. — И ты думала, что я соглашусь с тобой куда-то поехать? Да я уже третий, кого ты собиралась взять с собой! Думаешь, Генка с Валеркой молчали? Да они же мои друзья! Они сразу мне сказали, что ты шлюха и что навострила лыжи в Париж или куда-то там еще... Да ты бы в первый день изменила мне, к примеру, с местным хахалем, а я бы остался, как идиот, без единого евро в кармане... Может, я и хреновый отец своим детям, но сбегать от них в другую страну, да еще с такой стервой, как ты, я бы не стал, так и знай! Будьте здоровы!

Он оделся и вышел из квартиры, хлопнув дверью.

Мила повернулась к брату:

— Это неправда. То, что он сказал. Я бы никогда тебя не бросила и сдержала бы свое обещание позаботиться о тебе.

— Я знаю, — сказал Вадим. — Я все знаю.

— Вадим? Мне не нравится твой голос... и взгляд. Что-нибудь случилось?

— Нет, ничего. — Он старался не смотреть ей в глаза. — Но это — моя кровать, ты поняла?

— Да-да, я сейчас все уберу!

Она кинулась срывать постельное белье с кровати, свернула все в ком и отнесла в ванную комнату. Сунула в стиральную машину.

— Ты извини, Вадик, что все так получилось. Мне так неудобно перед тобой... Но, честное слово, я не думала, что нас кто-нибудь застанет, ты был в Синеньких...

Вадим заперся в ванной комнате. Он сидел на крышке унитаза и думал о том, что все в его жизни пошло наперекосяк. Что уже в скором времени его классная руководительница позвонит матери и скажет, что он пропустил несколько дней учебы в лицее. Что мама приедет в город, будет плакать, а ему придется ей объяснить свои пропуски. И что он ей скажет? Что ему нездоровилось? Но почему тогда он не сходил в поликлинику?

Все крутилось вокруг Милы.

Он вернулся в комнату.

— У меня будут неприятности в лицее, ты об этом не подумала?

Мила уже согрела чайник и деловито, стараясь не выдавать своего волнения, накрывала в кухне стол к чаю.

— Пойдем чайку попьем! Хватит дуться! Маму я возьму на себя, — щебетала она с беспечным видом. — А отец не приедет, у него там полно работы, я звонила. Гм... Подумаешь, пропустил несколько дней. Ничего страшного. Обещаю — я что-нибудь придумаю. Поговорю с твоей классной, если понадобится, и с директором.

— Мила, я так больше не могу... Мне плохо. Мне кажется, что я схожу с ума. Со мной что-то не так...

— Успокойся, — она погладила его по голове. Последнее время она так часто делала — гладила его по голове, словно он маленький мальчик. — Надо, чтобы прошло какое-то время, чтобы ты успокоился. Постой, а ты зачем вернулся? Вадя?! Что ты задумал?

Она села напротив него и указательным пальцем приподняла его подбородок:

— Ау! Вадик! Уж не навострил ли ты лыжи в полицию, а? Уж не надумал ли ты сдать меня?! Ведь ты не сделаешь этого? Нет?

— Да успокойся ты, Мила, я же не Иуда какой, — хмуро проговорил он. — Какая полиция? О чем ты?!

— Уф... Слава богу, я уж подумала, что тебе совсем крышу снесло! Вот, давай попьем чаю. Масло? Хлеб? Давай-давай, подкрепись. А на Левку не обращай внимания. Нет, он, конечно, прав, я действительно искала себе попутчика, но только попутчика в плане поездки во Францию, но уж никак не попутчика по жизни. Понимаешь, как-то страшновато ехать туда одной. Проворачивать все эти дела с документами. Боюсь, что меня кинут, обманут. Мужчина бы мне пригодился на первое время. Левкины друзья, мы с ними знакомы сто лет, каждый из них вроде был влюблен в меня, а как дело дошло до поездки, то есть до серьезных вещей, все они оказались заняты, у кого беременная невеста, у кого больная мать... Всем им нужно только одно!

Про таких, как Мила, говорят: неразборчива в связях. Но это ее жизнь, пусть сама со своими мужиками разбирается, а его оставит в покое. Надо же, сдала свою квартиру, а сама привела сюда любовника!

В дверь позвонили.

Оба вздрогнули. Даже Мила, которая изо всех сил старалась выглядеть спокойной и даже веселой, словно не чувствовала за собой вины. Неужели она действительно так уверена в том, что их не вычислят? Все-таки в двадцать первом веке живем! Она же не летала по коридорам морга, наверняка где-нибудь да наследила. А уж про него самого, про Вадима, и говорить нечего!

Но самое отвратительное заключалось, конечно, даже не в том, что он надругался над трупом девушки. Он соучастник Милы, а она украла двести тысяч евро! Колоссальная сумма!

И зачем он вообще рассказал Милке о том, что прочел в планшете Пирской? Причем прочел не за один раз, а читал практически каждый день, как роман, просто от скуки, в то время как ей приходилось покидать урок, выходить из класса и спускаться в актовый зал, где шла репетиция концерта. У многих в классе есть планшеты, и каждый развлекается как может. В основном все «чатятся», переписываются с подружками, друзьями или, что не редкость, пользуются планшетом вместо учебника. Понятное дело, что администрацией лицея планшеты запрещены, да кто их слушать-то будет? В лицее учатся детки состоятельных родителей, и попробуй им что-нибудь запретить. А уж Ленке Пирской в жизни бы никто ничего не запретил, она «отличница, спортсменка, комсомолка»... Господи!

Вообще она девчонка была классная, списывать давала, нормально к нему относилась, никогда нос не задирала, хотя могла бы, как другие: и умная, и родители «крезы», и красивая, и одевалась лучше всех в классе. Видно было, что она далеко пойдет, что папочка отправит ее учиться в Оксфорд или Кембридж, что впереди ее ждет нормальная, интересная, сытая и полная удовольствий жизнь.

И чего ей не сиделось дома? Чего потянуло на подвиги? Этот побег...

Они договаривались с парнем со странным ником «Гюго» о побеге в подробностях, обговаривая каждый шаг, перемежая все эти серьезные и полные романтического бреда разговоры признаниями в любви. Ленка Пирская была влюблена не на шутку, и ради этого парня она решила бросить родителей, дом, лицей, город, а может быть, даже и страну... Хотя по разговорам чувствовалось, что он вроде бы как и не парень, а взрослый, умный мужик. И что у них все серьезно.

Однажды, когда Вадим заглянул к сестре домой на ужин, взял и от нечего делать рассказал о Ленке, о ее планах.

— Как ты сказал? Пирская? Она что, дочь того самого Михаила Пирского?

Ну и закрутилось. Милка завелась, сначала в шутку предложила как бы похитить ее и попросить за нее выкуп, а потом так расфантазировалась, что все свои умственные силы бросила на то, чтобы придумать способ передачи выкупа...

Вадим смеялся, поедая макароны с сыром, Милка же ходила по кухне с задумчивым видом, и он даже не предполагал, что мысли ее, отчаянные, к тому времени улетели уже далеко-далеко, в сторону Лазурного берега...

— Послушай, мы же не совершим никакого преступления, — выдала она наконец, когда злодейский, иначе и не назовешь, план уже созрел в ее шальной голове. — Ленка-то твоя к тому времени уже уедет — ту-ту! Ее будут искать, это факт, но она же ясно написала своему Ромео, что хочет заодно проучить родителей, чтобы они вспомнили о ее существовании, чтобы испугались, что могут потерять ее... А это значит, что она будет вне досягаемости, отключит телефон и все такое.

— Мила, как ты правильно заметила — «заодно»... То есть у нее в мыслях не сам побег, а нечто куда более серьезное, суть чего я просто не понял, вероятно, об этом они договорились намного раньше...

— Это ты к чему? — раздраженно спросила Мила. — И почему это ты считаешь, что основная причина побега — нечто, как ты выражаешься, серьезное?

— Да потому что я знаю Лену! Мы долгое время сидели за одной партой. Вернее, за одним столом. Можешь мне поверить, она не какая-то там легкомысленная дура, которая способна была бы просто так сбежать с парнем из дома! Посуди сама: ну кто мог бы ей помешать встречаться с парнем? Она живет с матерью, которой есть дело только до ее нового мужа-художника. Лена, по сути, предоставлена сама себе. Да она при желании могла бы приводить парня прямо к себе домой, в свою комнату, и мать бы не заметила! Или же, при ее-то деньгах, уж если бы ей понадобилось вести активную личную жизнь...

— Ты имеешь в виду: половую жизнь? — усмехнулась Мила, с недоверием глядя на брата.

— Пусть даже так. Хотя это слишком грубо, поскольку, повторяю, ты не знаешь Лену...

— И что? Дальше-то что? Закончи уже свою глубокую мысль!

— Она могла бы снять квартиру для встреч, вот, — наконец, выдал он.

— Может, и сняла, просто никто об этом не знает. Вадя, ты не улавливаешь самое главное: девочка собирается исчезнуть на какое-то время и не давать о себе знать, чтобы ее родители по-настоящему испугались, забеспокоились, чтобы подняли тревогу... Безусловно, через несколько дней, я думаю, она позвонит им или вообще вернется домой. Но пока ее нет, мы можем подлить масла в огонь и представить ее исчезновение как похищение, понимаешь? И потребовать за нее выкуп!

— И?..

— А чтобы они не сомневались в том, что дело на самом деле обстоит очень плохо, что похитители — серьезные люди, может быть, даже настоящие отморозки, мы должны предоставить им доказательства этого!

— Какие еще доказательства?

— Предположим, подкинем богатенькому папочке отрубленный пальчик дочки!

— Мила, ты в своем уме? Где ты возьмешь такой палец?

— В морге, где же еще?! У меня подружка в свое время училась в меде, так их частенько в морг приводили, чтобы они покойников не боялись. А она постоянно там в обморок грохалась... Но родители такие бабки заплатили, чтобы она медицинский окончила, что ей просто необходимо было как-то преодолевать себя. Она рассказывала мне, как в свободное от лекций время присоединялась к другому потоку и с другими группами студентов ходила в морг. По-моему, отличная мысль — изобразить из себя студентку, попасть в морг, все там осмотреть, изучить...

— Ты что, будешь искать женский труп...

— Труп молоденькой девушки, у которой тоненькие пальчики...

— Мила, да ты рехнулась!

Вадим очень хорошо помнил этот разговор, он длился не один час. Мила распалялась все больше и больше, убеждая его в том, что никакого преступления они не совершат, что мертвой девушке, которую Мила выберет для того, чтобы лишить ее пальца, будет не больно. Да и Пирский отстегнет нужную сумму, когда увидит палец дочери. А уж когда Лена вернется домой, он будет так рад, так рад, что и думать забудет о своих деньгах.

Да, конечно, он поймет, что его обманули, обокрали, но зато он обретет свою дочку — живую и здоровую.

— Мила, Пирский — тоже серьезный человек. Он это дело так не оставит. Он обратится в полицию, и нас будут искать. И когда найдут — мало нам не покажется. Это большие сроки, тюрьма...

— Нас не поймают, Вадя, понял? Я даже придумала способ передачи денег! Я тебе все расскажу, в деталях!

— Послушай, раз ты все это придумала, вот сама и действуй! И деньги все себе забирай, мне ничего не нужно.

— Я и буду действовать, но мне понадобится твоя помощь. Да, я, безусловно, многое возьму на себя, тебе останется лишь одно: добыть палец...

...В дверь снова позвонили. Мила, чуть ли не пританцовывая, пошла открывать.

— Кто там? — спросила она, посмотрев в глазок. И, повернувшись к Вадиму, прошептала: — Какие-то женщины...

22

Нечаев заглянул в кухню, где Маша собирала корзины с едой. Настроение у него было приподнятое, он весь светился от радости.

— Ты свинину с чем замариновала, с уксусом или в сметане?

— Я сделала три контейнера шашлыка: с вином, уксусом, сметаной. Меня Инга попросила.

— Вот как? Ну, здорово! С утра пирогами пахло, надеюсь, это мои любимые — с зеленым луком и яйцами?

Он вел себя ну просто как мальчик. Бегал, чуть ли не пританцовывая, по квартире, приставал к хмурой и озабоченной приготовлениями к пикнику Инге, совал свой нос во все, что имело отношение к предстоящему празднику.

Все началось вчера вечером, когда Инга позвонила Маше и сказала, что они с Нечаевым на днях уезжают в Москву, что это не телефонный разговор, и попросила ее срочно приехать поговорить.

Гриша в тот вечер тоже собирался в командировку, хозяйка «Ивового дома» Илона попросила его сопроводить ее сначала в Питер, а потом, быть может, и в Москву, она собиралась что-то там покупать, по хозяйству, и ей нужен был помощник, грубая мужская сила.

— Ей грузчик нужен, что ли? — ворчала Мария, укладывая вещи мужа в дорожную сумку. — Что она хочет покупать? Мебель?

— Да вроде того... Что-то из карельской березы... Но только не простую мебель, а антикварную...

— Да, Гриша... Мы и не заметили, как превратились в людей второго сорта, в слуг. Ты — слуга своей Илоны, а я прислуживаю парочке журналистов-сволочей. Прямо из головы не выходит эта нечастная Лариса Тунцова... Она умерла, дети ее сиротами остались, Тунцов в больнице лежит, а моя сладкая парочка собирается в Москву! Надеюсь, что их туда пригласили для того, чтобы призвать к ответу... Хотя... У них такие счастливые лица, словно им премию пообещали.

Гриша тоже выглядел озабоченным перед поездкой, чувствовалось, что и ему стыдно перед женой за то, что его хозяйка решила использовать его в качестве грузчика.

— Ладно, Гриша, ты не переживай особенно. Все-таки она хорошая, эта твоя Илона, нет-нет, я не в том общепринятом смысле слова, — поспешила пояснить она свои слова, — а именно по отношению к тебе. Конечно, поезжай, кто знает, может, пока вы будете в поезде или самолете...

— Туда — самолетом, оттуда, думаю, поездом, с каким-нибудь старинным креслом из карельской березы или кушеткой... — Ей показалось или нет, что он старается не смотреть ей в глаза. Бедный Гриша, так волнуется!

— Так я что говорю-то? Может, будете долгое время вместе, глядишь, и подвернется удобный случай, чтобы вернуться к разговору о доме. И если она снова предложит тебе его в качестве подарка, не будь таким принципиальным, Гриша, я прошу тебя, соглашайся!

— Посмотрим, Маша...

А потом позвонила Инга и попросила Машу срочно приехать. Успела сказать только, что они собираются в Москву, чтобы Маша поскорее приехала, помогла собраться.

— Думаю, что я заночую у них, Гриша, — сказала с сожалением в голосе Маша. — Не ночью же возвращаться. У них всегда так, когда кто-нибудь из них собирается в дорогу, им нужно подготовить одежду, костюмы, обувь, где-то пятно вывести, что-то починить... Саша, когда курит, всегда мнет сигарету и пеплом прожигает такие шикарные и дорогие вещи! Не выбрасывать же! Вот я и чиню, ставлю незаметные заплаты, а один раз даже красной краской маскировала дырку... Это было за два часа до прямого эфира!

— Да ты не переживай, Машенька, поезжай. Я сейчас тебе вызову такси.

— Гриша, что-то ты сегодня какой-то не такой... Может, у тебя болит что?

— Нет, ничего не болит, Маша... Вещи ты мне уже собрала.

— А бутерброды? Может, успею еще приготовить?

— Маша, у меня есть деньги, к тому же я буду с Илоной, как ты думаешь, накормит она меня или нет? Или же мне при ней доставать бутерброды, вареные яйца, угощать ее? Да она меня на смех поднимет!

— А... Ну да, — немного обиделась Мария.

Она переоделась, они с мужем в дверях обнялись.

— Что-то ты сегодня какой-то не такой, — повторила она и вышла из квартиры.

Такси пришло без опоздания. Маша быстро доехала до Нечаевых. Инга встретила ее с порога возгласом:

— Маша, как же мы без тебя будем? — кинулась она к ней и обняла. От Инги пахло спиртным и крепкими духами.

— А куда вы меня решили девать? — Маша почувствовала, как от ее макушки, растекаясь по всему телу, разлилась неприятная дрожь. — Нашли мне замену?

Последние слова она произнесла с трудом, поскольку горло ее как будто бы кто-то сдавил.

— Фу ты, Маша! Ну что ты такое говоришь?! — Инга схватила ее за руку и потащила за собой в кухню. — Вот, смотри!

Вся кухня, все столы и вообще все видимое пространство было занято разложенными повсюду продуктами: мясом, овощами, фруктами...

— Снейдерс отдыхает, да?! Скажи, какая красота? Хотя... — Инга вдруг покосилась на Машу, покачала головой, вздохнула: — Хотя... откуда ты знаешь, кто такой Снейдерс...

— Вообще-то это фламандский художник, мастер натюрмортов, — неожиданно даже для себя сказала Маша.

— Ба! Машенька! Браво! Нечаев, ты слышал?! Маша знает Снейдерса!!!

Маше было неприятно все это, тем более что, копни Инга глубже в ее познаниях, касающихся искусства, она была бы крайне разочарована. Но Снейдерса Маша знала со времен обучения на высших кулинарных курсах, где им однажды дали задание оформить фуршетный стол в его стиле.

Дали альбом с репродукциями, рассказали много чего интересного...

— Так вы в Москву уезжаете или... — Маша обвела рукой горы продуктов. — Честно говоря, я ничего не понимаю.

— Ты садись и слушай. Значит, так. Девяносто процентов, что мы переедем в Москву, где будем вести свое шоу, у нас будет своя программа, своя студия в «Останкино»! Вот!

От возбуждения и выпитого алкоголя Инга раскраснелась. Нечаев в отличие от нее вел себя более сдержанно, он просто сидел на диване перед телевизором и смотрел велогонку, время от времени вынужденно поддакивая жене или что-то лениво комментируя.

— Маша, они сами нас пригласили!!! Как ты понимаешь, у меня голова кругом идет! Так много нужно всего успеть! Все хорошенько продумать, может, квартиру эту сдавать, а может, оставить ее под присмотром, под твоим, разумеется, присмотром... Чтобы она была жилая, теплая, чистая, чтобы все цветы были политы... И когда мы будем сюда приезжать на выходные или просто так, нас будет встречать не пустая, запыленная квартира, а настоящий жилой дом, ты понимаешь меня?

Маша подумала, что где-то она уже это слышала. Конечно, чего же тут не понять?

Но больше всего ее, конечно, задело не то, что она может остаться без работы, а то, что шоу этих моральных уродов (уродов, к которым она, правда, уже так привыкла, что не чувствовала в себе силы самой бросить их, уйти, хлопнув дверью) «оценили» в Москве! На телевидении! То есть получается, что чем циничнее, чем отвратительнее шоу, чем большее отторжение оно вызывает у нормальных, здоровых людей, тем выше у него рейтинг, тем больше денег получают авторы такого эфира.

— Маша, ау! Ты слышишь меня? Не хочешь поздравить? Ведь все, все наши успехи и неудачи, вся наша жизнь прошла на твоих глазах... Ты и кормила нас, и лечила, и заботилась о нас, как мама, хотя ты и сама такая еще молодая... Я просто хочу сказать, что наш успех — это и твой успех!

— Инга, что это за продукты? Вы что, собираетесь их взять в Москву? И когда вы туда летите?

— Нет-нет, что ты! — пьяно замахала Инга руками. Кудри ее растрепались, и одна упрямая прядь так и норовила прикрыть половину лица, Инга ее весело и смешно сдувала. — Летим буквально на днях, думаю, что послезавтра... То есть заблаго-гре-вре-заблаго-времен-но! Вот! А продукты эти прекрасные — для пикника! Все закончилось, понимаешь?! Все-все закончилось!!! И теперь мы можем взять тебя к нам на дачу!

Маша слушала и ничего не понимала. Да, действительно, за все время, что она работала на Нечаевых-Тумановых (Туманова — это девичья фамилия Инги, которой она дорожила и которую не поменяла бы никогда в жизни!), ей не приходилось бывать у них на даче. Она даже понятия не имела, где она находится. Однако дача была, она охранялась, и когда Инга с Сашей выезжали за город, то от Маши требовалось лишь собрать, упаковать все необходимое для пикника. Подразумевалось, что там, на природе они сами пожарят шашлык, накроют на стол. Посуду же за ними помоет и приберет после гостей сторож, из местных.

Маше довольно часто приходилось заниматься фотоальбомами Инги, заказывать в мастерской снимки с телефонов, фотоаппаратов своих хозяев, чтобы потом пополнять альбомы новыми фотографиями. Поэтому она знала практически все о жизни Нечаевых, с кем и где они бывают, как отмечают праздники, все общественные мероприятия, визиты к родственникам и друзьям. Инга любила фотографироваться, освещала всю свою жизнь и почти каждую неделю просила Машу «освободить» свой телефон от снимков, чтобы делать сотни и сотни новых. Поскольку фотографий тысячи, Маше было доверено отбирать самые удачные, качественные. Она делала это очень ответственно, аккуратно, как для себя, заполняла альбомы новыми фотографиями и ставила их на специально отведенную для этого полку на огромном книжном стеллаже.

По фотографиям она знала, как выглядит дача Нечаевых, двухэтажная, с застекленной верандой, старая, но уютная, заросшая диким виноградом и плющом. Открытая беседка, увитая розами и клематисами, длинный стол, заставленный приготовленными Машей же салатами и пирогами. На нескольких фотографиях был запечатлен и сторож — неприметный такой человек, почти старик.

На снимках он то разводил костер, то нанизывал мясо на шампуры, то следил за жарящимся на углях шашлыком на фоне пестрой толпы гостей или просто стоял где-то в сторонке с неизменной сигаретой в руке.

Что означают слова Инги, что все закончилось? И почему это теперь они могут взять ее на дачу?

— Что-то я ничего не поняла, зачем я вам на даче?

— Маша, — Инга подошла и обняла ее. — Ты очень, очень хороший человек. Просто Саша придумал собрать всех наших, телевизионщиков, у нас на даче, угостить их, понимаешь? По-моему, идея отличная! Вот мы и накупили всего, а тебе осталось только приготовить любимые Сашины пироги с зеленым луком и яйцами, крабовый салат, баклажаны... Словом, я приготовила список. Премия тебе гарантирована! И еще. Если мы все же уедем, во что мне, с одной стороны, верится, с другой — не особо... Если мы уедем, ты не бросишь нас, нашу квартиру? Ты будешь поддерживать в ней жизнь? Ты будешь ждать нас здесь?

— Конечно, не переживайте... Инга, я все поняла, вам лучше сейчас лечь поспать... Если хотите, я приготовлю для вас чаю с ромашкой.

— И ты, ты поедешь с нами, поняла?! — Инга приблизила свое лицо к лицу Маши. — Теперь все можно, понимаешь?! Свобода! Новая жизнь!

Маша не понимала. И на вопрос, зачем они ее с собой берут на дачу, ей так и не ответили.

— А кто будет следить за вашей дачей, когда вы уедете? Или вы ее продадите? — Маша спросила это просто так, на тот случай, если Грише не удастся договориться с Илоной о домике в Вязовке.

— Конечно, продадим! — отмахнулась от невидимой дачи со всеми ее радостями, свежим воздухом, клематисами и шашлыками Инга. — Вот лично для тебя, если ты захочешь ее купить, я сделаю большую скидку! За твою преданность, за все эти годы работы у нас, за твою доброту, за твои пироги... Ты, конечно, вправе меня спросить, почему я раньше не брала тебя с собой на эту дачу...

Вот оно, важное! Неужели Инга ответит ей на этот вопрос, который беспокоил ее все эти годы. Сколько раз она собирала их на дачные пикники, и ни разу ее не приглашали. Ни разу!!! А тут...

— Глупо, конечно, — пожала плечами Инга, и взгляд ее улетел очень далеко, она на мгновение перенеслась куда-то в другое измерение. — Знаешь, а я и сама не знаю ответа на этот вопрос...

Это был ни к чему не обязывающий, пьяный разговор. Главное Маша поняла: у нее есть целая ночь (или всего лишь ночь!), чтобы напечь пирогов, приготовить салаты, словом, все как обычно, плюс маринованное тремя способами мясо!

Пошатываясь, Инга отправилась в спальню, Маша слышала, как она там чертыхалась, раздеваясь, потом все затихло. Нечаев уснул прямо на диване. Маша подошла к нему и тихонько тронула за плечо.

— Саша, идите уже спать, — сказала она, и в ответ ее отправили так далеко, что ей стало не по себе. Успокоила она себя тем, что отборный мат предназначался все же не ей, а Инге.

В притихшей квартире, действуя привычно быстро и ловко, она замесила тесто и, пока оно подходило, приготовила начинку, отварила овощи к салатам.

Чтобы не было скучно, Маша включила в кухне маленький телевизор. Шел старый советский фильм, и под него было так уютно заниматься готовкой.

Доделав все, уставшая Маша легла, наконец, спать в маленькой, предназначенной для нее комнатке за кухней. Проснулась рано, приняла душ и все оставшееся время до пробуждения своих хозяев упаковывала в контейнеры закуски.

Сборы был долгими, Инга суетилась, нервничала, Нечаев радовался, как ребенок, предстоящему празднику, а потом долго пил кофе в гостиной перед телевизором.

Дорога от города до дачи заняла почти час. Маша сидела на заднем сиденье огромного джипа, на коленях у нее было блюдо с тортом. Слышно было, как в багажнике позвякивают посуда, кастрюльки, судки.

Проезжали какие-то деревушки, железнодорожные станции, и Маша вдруг поняла, что давно уже никуда не выезжала. Разве что к Грише, в «Ивовый дом».

Гриша всегда подтрунивал над ней, когда она признавалась ему, что не помнит дороги и что, если бы даже у нее были водительские права, она вряд ли когда-либо доехала до пункта назначения.

— У тебя — топографический кретинизм, — говорил он ей ласково. — Но это ничего, ведь у тебя есть я!

Однако эта дорога показалась ей знакомой. Хотя все эти пригородные шоссе так похожи одно на другое! И эти домики, огородики, станции, посадки дикой смородины, тополиные аллеи, маленькие придорожные кафешки.

Машина съехала с основного шоссе и покатилась по узкой асфальтированной дороге в сторону большого, раскинувшегося вдали зеленого села. Когда же она увидела указатель, то сердце ее забилось сильнее: «ВЯЗОВКА».

— У вас дача в Вязовке? — она разбила установившуюся напряженную тишину. — Или?..

— Ну да, в Вязовке, — задумчиво ответила Инга. Маша видела лишь ее затылок, затейливо уложенные волосы, несколько локонов наподобие конского хвоста. Тонкая шея в кружеве воротничка блузки. Инга даже на пикник отправилась нарядная, словно ей предстоял прямой эфир на телевидении.

Однако в самой Вязовке, улицы которой были ей как будто бы знакомы, ведь она не один раз ездила сюда с Гришей, она окончательно запуталась. Машина постоянно куда-то сворачивала, то вправо, то влево, петляла в узеньких улочках между утопающими в нежной майской зелени домами, пока не остановилась напротив больших деревянных ворот, покрытых коричневым лаком. За воротами возвышался двухэтажный дом. Тот самый дом, который она видела раньше только на фотографиях.

Навстречу им вышел тот самый сторож, их познакомили. Мужчину звали Николай. Тихий, скромный, в потрепанных джинсах и майке. Он деловито принялся разгружать машину.

В беседке уже был накрыт стол: красная скатерть, ряд белоснежных тарелок. Приборы и в центре стола — ваза с пионами.

Ждали гостей. Нечаев включил музыку, Инга все никак места себе не находила, а потом и вовсе пропала.

— Маша, где Инга?! — истерично закричал Нечаев, увидев, что к воротам приближаются две сверкающие на солнце новые машины. — Цилевич с Абросимовым приехали! Она же должна их встречать!

Маша выбежала из дома, где шли последние приготовления, остановилась на крыльце, осматривая ухоженную зеленую лужайку перед домом, кусты пионов. Инги нигде не было. Маша спустилась с крыльца и обошла дом — тоже никого. За домом тянулся сад. Яблони уже отцвели, но в некоторых местах земля как снегом была усыпана белыми лепестками цветов.

Дорожка, посыпанная щебнем, вела в глубь сада. Маша сделала несколько шагов, совершенно не уверенная в том, что идет в правильном направлении.

И тут она услышала приглушенные голоса. Она остановилась, замерла, даже перестала дышать. Голоса доносились откуда-то слева. Маша свернула с дорожки и пошла на звуки.

Она отчетливо слышала голос Инги, потом он стих, и она услышала мужской голос. Она узнала бы его из миллиона других голосов.

Спрятавшись за ветвями старой яблони, она стояла и смотрела на Ингу, стоящую к ней спиной и разговаривавшую с мужчиной в голубой клетчатой рубашке. Эту рубашку Маша выстирала и выгладила два дня назад, чтобы уложить в дорожную сумку мужа.

Маша закрыла глаза и снова открыла. Сомнений быть не могло: в нескольких шагах от нее в зарослях малины стояла Инга в своем роскошном кружевном наряде и разговаривала с ее мужем — Григорием.

— Инга, извините! — закричала Маша, чувствуя, как начинает пылать ее лицо. — Цилевич приехал!

Григорий, услышав голос жены, начал всматриваться в яблоневые заросли. Инга же, словно ее застали за чем-то неприличным, подхватив длинную юбку, отпрянула от куста малины, повернулась и быстрым шагом, покачиваясь на каблуках, пошла к дорожке, ведущей к дому.

— Маша, я иду, иду... Я тут с соседями поздоровалась!

Она пробежала мимо Маши, так и не заметив ее. Маша же с трудом, не чувствуя ног, приблизилась к тому месту, где только что стояла Инга. Григорий стоял и смотрел на нее со странным выражением лица. Каменного лица.

— Гриша, ты же сказал мне, что вы уезжаете в Петербург... с Илоной... Ты обманул меня.

— Подойди поближе, — сказал он, и в его поведении и голосе не было и тени смущения. Он нахмурился, и вид у него был скорее убитый, чем виноватый.

Она повиновалась. Потому что привыкла во всем доверять мужу. Потому что он, он... Она всегда знала его как исключительно порядочного человека! Что общего у него может быть с Ингой? И как он вообще здесь оказался? Разве только «Ивовый дом» имеет общую изгородь с дачей Нечаевых...

— Гриша?! Что все это значит? А как же карельская береза, все такое? — Глаза ее стали наполняться слезами.

— Маша, я просто не мог сказать тебе раньше, не имел права... — Он говорил какие-то странные вещи.

— На что ты не имел права?

— Это она.

— Кто она?

— Илона.

— Вообще-то ее, как ты знаешь, зовут Инга.

— Твоя хозяйка Инга Туманова и есть хозяйка «Ивового дома». Это я назвал ее Илоной. Для удобства, чтобы не путаться.

Григорий ловко перемахнул через изгородь, подскочил к жене и обнял ее.

— Говорю же, это она... моя хозяйка.

— Хозяйка... Невероятно!!! Ты все эти годы работал на Ингу? На Нечаева? И я ничего об этом не знала... Постой... Илона, Инга... Кажется, я все поняла.. Так это все ее... ее?.. Это она? Она — моя Инга?!!

— Очень удобно — два дома по соседству, — пробормотал, краснея, Григорий.

Она не верила услышанному.

— То есть она говорила мужу, что поехала в Вязовку на дачу, а сама навещала тебя в «Ивовом доме»? Постой, а при чем же здесь Петербург? Инга собирается с мужем в Москву...

— Да, и мы тоже едем в Москву.

— Мы? Это кто же? Ты с Нечаевыми?

— Боже упаси! Нет, мы едем: Желтков и остальные... Маша, я должен тебе все объяснить...

— Петр Борисович?

— Да, и Маргарита... И Антон!

— Все, все они... Но что случилось, Гриша?

— А случилось, Маша, то, что и должно было случиться... Но сначала я тебя обрадую — дом, считай, уже наш!

И Григорий, страшно волнуясь, начал рассказывать...

23

Лиза, Глафира и Денис сидели за кажущимся прозрачным стеклом кабинета в прокуратуре, где Сергей Мирошкин допрашивал Людмилу Клец.

Все понимали, что у Мирошкина на эту молодую особу нет ничего, кроме подозрений. Ни отпечатков пальцев, которые могли бы взять из морга по горячим следам, ни орудия преступления, инструмента (опять же с отпечатками пальцев), которым был отделен палец покойницы. Ни следов на детской коляске, из которой были взяты деньги Пирского. Надежда была лишь на свидетельницу — Тамару Петровну Аверочкину, в квартире которой прятали коляску-близнеца. Она должна была подойти с минуты на минуту.

Лиза подстраховалась, когда ехала на квартиру Вадима Клеца. Позвонила Мирошкину и предупредила его. Как чувствовала, что будут сложности.

Людмила Клец, которая, к счастью (или несчастью), оказалась в квартире вместе с братом, вела себя по отношению к непрошеным гостям крайне агрессивно. Сначала дверь открыла, а когда поняла, что пришли по ее душу, едва не вытолкала их на лестницу:

— Кто вы такие и что вам нужно от моего брата?

Лиза принялась объяснять Людмиле, что всем будет лучше, если она во всем признается и вернет деньги. Что Пирский, возможно, ее простит. Даже предложила вариант с неофициальным признанием — прямо сейчас отправиться к Пирскому вместе с братом Вадимом, который дал ей наводку на семью Пирских (в чем и ему тоже следует признаться, а заодно и рассказать, *что* именно он увидел в планшете Лены, чтобы помочь следствию поскорее разыскать ее). Однако Людмила, будучи совершенно бездарной актрисой, но весьма склочной и даже глуповатой женщиной, продолжала делать вид, что не понимает, о чем идет речь, и пыталась физически вытолкать Лизу с Глафирой из квартиры.

— Людмила, мы знаем, что это вы имеете отношение к исчезновению Елены Пирской, что вы похитили двести тысяч евро у ее отца Михаила Пирского, а также и то, что вы осквернили труп убитой Марины Варфоломеевой. Несколько статей уголовного дела с большими сроками уже у вас в кармане! Но я адвокат, у меня связи, и я могла бы помочь вам избежать наказания в случае, если мы с вами прямо сейчас поедем к Пирскому... И все это я сделаю для вас исключительно ради того, что вы поможете нам разыскать Лену!

Но Людмила прямо на глазах ковала для себя тюремную решетку. Видно было, что она растеряна, напугана, но не желает даже себе признаваться в том, что натворила. И это ее состояние Лиза могла объяснить единственно тем, что Людмила с самого начала была уверена в том, что ее никогда не вычислят, не найдут, не накажут.

Мирошкин блефовал. Говорил спокойно, обстоятельно, демонстрируя Людмиле свою осведомленность во всем, что касалось ее участия в исчезновении Лены Пирской.

— Ваш брат, Людмила, многое почерпнул из планшета Пирской, ведь так? Он узнал, что она собирается куда-то отправиться, не предупредив родителей, и вы решили воспользоваться этой информацией в своих корыстных целях... — Мирошкин был крайне осторожен в выражениях и говорил таким образом, чтобы его ни на чем невозможно было подловить. Вот и сейчас он ни слова не сказал прямым текстом о побеге, поскольку не был ни в чем уверен. — Но кое-что он узнал и от самой Лены. К примеру, историю о том, как ее мама, когда она была маленькой, перепутала коляски, отправляясь на прогулку... Именно эта история натолкнула вас на мысль о подмене колясок с деньгами.

— Я не знаю, о чем вы говорите, не понимаю, в чем вы меня обвиняете... — твердила, нервно покусывая подушечки пальцев, Клец. И Глафира, внимательно наблюдавшая за ней, вдруг почувствовала тошноту. Такое с ней бывало, когда ее мозг отказывался что-то воспринимать. Совершенно дикий, дерзкий, циничный план мог бы, к примеру, придумать настоящий преступник. Но женщина...

Глафира наклонилась к Лизе и шепнула:

— У нее проблемы с психикой, явно. Я, конечно, не психиатр...

— Нет, Глафира, с психикой у нее все в порядке. Просто она редкая алчная и, как ты правильно выразилась, циничная скотина, вот и все, — так же тихо ответила ей Лиза, не отводя взгляда от прозрачной стены, за которой, как змея на сковородке, извивалась в своих бесполезных отрицаниях Мила Клец.

Опомнившись, Клец вдруг потребовала адвоката. Своего адвоката — Виктора Гудкова. Лиза была с ним знакома, среди коллег его звали Гудвином. Серьезный, опытный, неподкупный и очень дорогой адвокат.

Мирошкин прервал беседу, и в комнату вошли пять женщин, типажом похожих на Клец. Миниатюрные, интеллигентного вида, с темными волосами. Итого, вместе с испуганной таким поворотом дела Клец, шесть женщин, среди которых свидетельнице предстояло узнать ту самую девушку, которая, назвавшись Леной, снимала у нее квартиру.

Тихо скрипнула дверь, Сергей ввел главного свидетеля — Аверочкину. Маленькая круглая женщина с розовым лицом и растрепанными светлыми волосами. Перепугана насмерть. Повернула голову, увидела стоящих в ряд за прозрачной стеной женщин и, вытаращив глаза, несколько мгновений смотрела на них, после чего, прикрыв рот рукой, обернулась к Сергею Мирошкину и утвердительно затрясла головой:

— Вон, вон та, вторая справа, которая смотрит в окно. У нее еще сережки такие красные в ушах. Это она. Точно. Была бы Библия, что называется, присягнула бы.

— Вы уверены?

— Конечно, уверена! И как это вам удалось ее найти?!

В это время все, кроме Людмилы Клец, покинули комнату за прозрачной стеной, и Сергей привел туда Аверочкину, усадив ее напротив Людмилы.

— Сейчас начнется самое интересное! — воскликнул Денис, которого все, что происходило на его глазах, сильно забавляло. — Ох, замучили мою Аверочкину!

— Вы знакомы? — спросил Сергей Людмилу, указывая ей на Аверочкину.

— Первый раз вижу! — с ненавистью глядя на Тамару Петровну, процедила Клец.

— Да как же это так, милая?

— Никакая я вам не Мила! — Лицо Людмилы исказила гримаса отвращения, она даже привстала и сделала невольное движение, как будто стряхивая с себя невидимые крошки.

— Да я и не сказала, что ты Мила... Ты же Лена! Во всяком случае, именно так ты себя назвала, когда пришла ко мне, чтобы снять квартиру...

Все, что происходило дальше, уже никому не было интересно, поскольку каждая фраза Клец была предсказуемой. Увидев Аверочкину, она растерялась окончательно и даже фразу «я не буду говорить без моего адвоката» стала произносить все реже и реже.

— Она сдулась, — подытожил Денис. — Деньги у нее, и через некоторое время она уже будет готова их вернуть. Или она уже опоздала?

Лиза пожала плечами:

— Мы же с Глашей предложили ей вернуть деньги Пирскому сразу же, объяснили ей на пальцах, что тем самым она избежит суда и останется на свободе.

И вдруг представление, за которым троица наблюдала последние пару часов, привлекло к себе внимание.

Людмила Клец вскочила из-за стола и забилась в угол.

— Я не хотела говорить... — дрожащим голосом произнесла она, закрывая лицо руками. — Но все это придумала не я, понимаете, не я! Это мой братец, Вадик... Понимаю, нехорошо выдавать близкого тебе человека, но почему я должна отдуваться за других? Это же он читал планшет... Рассказал, что у нее есть парень, с которым она собирается сбежать.

Лиза, Глафира и Денис даже приблизились к стеклянной стене, чтобы не пропустить ни единого слова.

Сергей Мирошкин, похоже, тоже напрягся.

— Тамара Петровна, подождите меня, пожалуйста, за дверью, — он выпроводил Аверочкину из комнаты, чтобы остаться с Клец.

Приблизившись, он положил ей руку на плечо. Она вздрогнула, и плечи ее сжались еще больше.

— Присядьте, пожалуйста. И постарайтесь успокоиться. То, что вы сейчас сказали, для нас очень важно, понимаете? Если вы во всем признаетесь, то суд учтет это...

— Я здесь вообще ни при чем... — прошипела Клец. — Суд, признание... Это не про меня. Допрашивайте лучше моего братца. Говорю же: это он читал планшет, вот ему и задавайте свои вопросы. И палец у той бедной девушки, что в морге, тоже он отрезал. А с меня хватит ваших угроз и всего остального... И деньги тоже у него... А меня отпустите. Я устала, мне плохо...

— Вот сука! — вырвалось у Дениса. — Да у нее на лице написано, что это все она замутила... И так быстро сдала братика...

— Но палец-то наверняка брат отрезал, — сказала Глафира. — Думаю, это была его часть работы. Надо же ей было как-то привязать Вадима к этому делу. Вероятно, за это он должен был получить часть денег.

Между тем Людмила Клец сползла по стенке, и Мирошкин едва успел ее подхватить. Возможно, этот обморок был инсценирован, как и там, в морге, возможно, Людмила на самом деле потеряла сознание.

— Пойду помогу Сереже, — вызвалась Глафира. — Думаю, что мы обойдемся без врача. У Мирошкина есть нашатырь, это я точно знаю.

Она ушла, минут через пять к ним заглянул Сергей.

— Вы тут прямо как в кино, — устало улыбнулся он. — Я с самого начала предупреждал вас, что ничего хорошего из этого допроса не выйдет. Хорошо, что Аверочкина дала свидетельские показания.

— Сережа... Я понимаю, конечно, что прошу о невозможном... Но ты не мог бы притормозить, не давать пока этому делу официальный ход?

— Лиза, но ведь они с братом украли двести тысяч евро!!!

— Они вернут... И я договорюсь с Пирским. Мне нужно поговорить с Вадимом, не допросить его, а именно поговорить. Хотя можешь называть это как угодно. Он читал переписку Лены, он может многое рассказать о ней. А наша главная цель все-таки найти ее. Как видишь, нам не очень-то повезло с этим делом. Все крутимся вокруг да около...

— Не повезло?! Вообще-то вы нашли тех, кто украл деньги. Думаешь, твой Пирский это не оценит?

— Меня наняли, чтобы я нашла его дочь. Так что там с Вадимом, где он?

— У меня в кабинете. Если хочешь, пойдем со мной, поговоришь с ним. Но что делать с этой артисткой, Клец?

— Пусть с ней Глафира побудет. Мне кажется, что ей на самом деле стало плохо. Ну так что, Сережа? Мы договорились?

— Лиза, ты знаешь, я для тебя на все готов. Но Пирский... Ты так уверена, что он не захочет крови?

— Уверена. Сейчас для него самое важное — найти дочь. Тем более что деньги мы почти нашли... Не верю, что она растратила их так быстро.

В кабинете Мирошкина было сильно накурено. Вадим Клец, худой подросток с белым лицом и взлохмаченными темными длинными волосами, курил очередную сигарету, по всей вероятности, предложенную ему Мирошкиным, и смотрел на мир затравленным взглядом.

— Вадим, меня зовут Елизавета Сергеевна Травина, я адвокат и помогаю разыскивать пропавшую, как ты знаешь, почти две недели тому назад Елену Пирскую, твою одноклассницу. Ты можешь нам в этом помочь?

— Сколько лет ей светит? — хриплым, прокуренным голосом спросил он, глядя на Лизу немигающим взглядом.

— Если она вернет деньги и если ты поможешь нам разыскать Лену, то я лично сделаю все возможное, чтобы вашу семью оставили в покое. Человеку свойственно ошибаться... Это я о твоей сестре.

— Постойте! Травина... Я где-то уже слышал о вас... Что вы помогаете разваливать сложные уголовные дела... и все такое... — Он устало отмахнулся, как будто бы вдруг до него дошло, что все то, что он сейчас говорит, в сущности, уже не имеет никакого смысла.

— Вадим, так ты расскажешь мне, о чем писала Лена в своем планшете?

— Да там и говорить-то особенно нечего! Я так понял, что она влюбилась и решила сбежать со своим парнем. У них был какой-то план.

— Как его зовут?

— Я знаю только его ник в Интернете — «Гюго».

— Отлично! Ты можешь написать мне, в какой социальной сети они вели переписку, чтобы мы могли сами все прочесть и вычислить его?

— Да, но только это не социальная сеть, это просто какой-то киношный сайт с чатом... Давайте ручку, я напишу.

— Куда они собирались? Когда именно?

— Пятого мая они улетали. Но куда именно — там этого нет, я не знаю...

— А что она написала про родителей?

— Ну, что-то типа: пусть немного поволнуются, вспомнят, что у них есть дочка... Но без особой злости... Там, в этой переписке, они буквально обменивались фразами, такими... как бы это вам сказать... Не по теме, что ли. Предположим, идет обсуждение фильма, и между строчками все это, скупыми словами, но я понял... Лучше бы ничего не понимал, не читал вообще... Так, от скуки заглянул в этот чертов планшет!

— Ты знаешь, что твоя сестра все свалила на тебя?

— Да уж лучше сесть, чем носить все в себе... Я устал. Мне эта... девушка... не то чтобы снится, она вообще не выходит у меня из головы. Моя сестра... она просто хотела свалить отсюда, хотела купить дом за границей... Она вряд ли меня потом забрала бы к себе. Мавр сделал свое дело, сами знаете, как это бывает... У нее вообще крыша поехала... Если надо, я все напишу, как было. Говорю же, пусть лучше я сяду.

— А где деньги?

— Не знаю я!

— Ты бы сказал ей, чтобы она вернула деньги. Она же еще не успела их потратить?

— Думаю, что нет, не успела, она только начала договариваться.

— Родители ваши, конечно, не в курсе.

— Да мать умрет, когда узнает! Просто не выдержит! А отец... Он и так считает меня недоумком, я же плохо учусь, а они все свои деньги тратят на мой лицей.

— Если ты убедишь свою сестру вернуть деньги, я помогу тебе.

— Она вернет... Деньги у нее, это я точно знаю.

Лиза вернулась к Глафире с Денисом.

— Ну что, с Клецами разобрались. Осталось только выяснить, куда подевалась Лена. Прошла неделя, она решила, предположим, смилостивиться над родителями и позвонила им... Есть еще новости?

— Похоже, в доме Брушко обнаружили «жучки». А это значит, их искали и нашли. Я же говорю: им есть что скрывать...

В это время дверь распахнулась, вошел Мирошкин, за ним следом — Вадим.

— Он хочет тебе что-то сказать, — сказал Сергей недовольным тоном. Видно было, что его эта история уже достала. Ведь, по сути, помогая Лизе, он просто тратил время, поскольку с каждой минутой становилось очевидным, что уголовного дела на Клецов заведено не будет, а это значит, что ему не удастся выполнить свой профессиональный долг и позволить свершиться правосудию. И все это он делал исключительно ради Лизы, полностью доверяя ей и полагаясь на ее интуицию.

— Я тут кое-что вспомнил, — сказал Вадим, рассеянно жестикулируя, словно ему некуда было девать свои руки. — Она написала что-то о «Боровицкой».

— Что?

— Поконкретнее можно?

— Ну, она написала, что на «Боровицкой» проблемы с электричеством, что нужно что-то там отремонтировать, проводку или розетку.

— «Боровицкая»... Это же станция метро! — сказала Лиза.

— Может, она уехала в Москву? — предположила Глаша. — И снимает там комнату, к примеру?

Сказав это, Глафира покраснела, поскольку поняла, что высказала и без того очевидную вещь.

— Спасибо, Вадим, — сухо сказала Лиза, которая не могла не отреагировать на дурное настроение Сергея Мирошкина. — Сережа, пожалуйста, останься на минуту...

— Вадим, подожди меня за дверью, — строго приказал он Клецу. — Сбежишь — посажу за изнасилование и убийство Варфоломеевой!

— Мамадарагая... — прошептал Вадим, буквально вываливаясь из кабинета.

— Лиза, я знаю, что ты хочешь мне сказать, но у меня есть и свое мнение... Я не понимаю, почему ты нянчишься с этими отморозками — Клецами? Они же уроды! И они должны понести наказание!

— Сережа, ты пойми, Вадим — совсем еще ребенок, и его сестрица им явно манипулирует. Вероятно, Вадима зашпыняли родители, простые люди, которые все свои деньги тратят на его образование, а он вот такой, какой есть, со средними способностями, и выше головы никогда не прыгнет! Может, он будет хорошим поваром или автомехаником, фермером или портным! Ну не идет у него учеба, понимаешь, и он мучается... В школе, я думаю, у него тоже не все благополучно, и ему достается от учителей да и от одноклассников... Ты же видел его? Зашуганный какой-то, больной, слабый, неуверенный в себе... Сестра его — полная противоположность. У нее есть конкретные цели, и она идет к ним, что называется, по головам. Вероятно, еще до того, как Вадим рассказал ей, причем совершенно случайно, просто так, о Елене Пирской и ее побеге, она спала и видела себя с бабками за границей... Все мечтала, к примеру, выйти замуж за богатого мужика или выиграть в лотерею. В свободное время Людмила смотрела кино, представляя себя на месте преступников, которым удавалось быстро разбогатеть, и когда Вадим рассказал ей про Пирскую, эта информация семенами упала на хорошо подготовленную, благодатную почву ее мечтаний. И в голове ее созрел совершенно безумный план! Вроде бы они и не преступники — Лену-то не похищали!

— Лиза, да угомонись ты... Я все понимаю!

— Понимаешь, Сережа, я могла бы тебе все обосновать, разложить по полочкам в случае с Людмилой Клец, но просто не вижу смысла сейчас погружаться в ее очень темный внутренний мир, что объяснило бы нам жгучее желание этой молодой дамы уехать из страны. Я бы даже сказала, болезненное желание...

— Ладно, Лиза, все, закрыли эту тему. Только ты сама позвонишь Пирскому, поедешь к нему и все объяснишь, вернее, попросишь его не возбуждать уголовного дела в отношении Клец.

— Только после того, как ты решишь вопрос с деньгами. Сережа... Если мы вернем деньги Пирскому и разыщем его дочь, то вся моя команда будет в твоем распоряжении. Мы возьмемся за самое трудное дело и будем работать бесплатно и день и ночь.

— Заметь, ты сама это предложила. — У Мирошкина на лице появилось подобие улыбки. — Знаешь, у меня действительно проблемы.

— Вот и поговорим! Ты когда освободишься?

— Часа через два.

— Глафира к себе на ужин пригласила, приедешь? Теплая компания, свежий воздух...

— Считай, что уговорила! — На этот раз Сергей улыбнулся по-настоящему. Даже глаза его улыбнулись.

В машине все расслабились, Лиза даже задремала.

— Деликатесов не обещаю, но в морозилке имеются домашние пельмени, в холодильнике — деревенская сметана, большущий окорок, — сказала Глаша уставшим и голодным друзьям. — Вы себе не представляете, как вам обрадуется Дима!

— Мой Дима тоже бы обрадовался, да только его никогда нет дома, — не открывая глаза, проговорила Лиза. — Да и я там стала бывать редко... Мою маленькую дочку воспитывает няня. Брошенный ребенок! Когда-нибудь, когда она станет взрослая, обязательно упрекнет меня в этом.

— Да-да, а потом вот так же, как и Пирская, сбежит с каким-нибудь парнем, — тихо пошутил Денис.

— Денис! — Обернувшись, Глафира, держа одной рукой руль, послала ему воздушный щелбан.

— А где твоя домработница Надя? — Денис не на шутку развеселился.

— Она не домработница, а сестра Димы, — отозвалась Глаша. — И она сама захотела жить с нами, помогать... Ты меня спроси, как я-то согласилась?! Думаешь, не переживала? Все-таки новый человек в доме... Волновалась, все думала, какая она, сложатся ли наши отношения? Но она оказалась просто замечательной!!!

— Правда, а почему ты так беспокоишься за ужин, там же Надя? — сказала Лиза.

— Нади нет, она уехала к подруге в Уфу. Привезет чак-чак, я ей заказала много-много, обязательно вас угощу! В Уфе делают самый лучший чак-чак!

— Знаете, что я думаю? — Лиза открыла глаза. — Если Лена уехала в Москву, то мы просто обязаны ее там найти. Вопрос: что она там делает? С кем она? Что за человек этот «Гюго»? «Боровицкая»... Это — Арбат!!!

— Лена не *поехала* в Москву, — заметила Глафира.

— В смысле? — вяло переспросила ее Лиза, засыпая.

— Она *улетела*, — продолжила Глафира. — С чего бы ей отправляться в Москву на поезде, если она может позволить себе самолет? К тому же, если предположить, что она сейчас проживает где-то на Арбате, а не в Выхино, значит, ее молодой человек, как бы это помягче выразиться, не нищий студент...

— Глаша, к чему ты это клонишь? Мы же проверили все списки пассажиров, покинувших город пятого и шестого мая в самых разных направлениях. Железная дорога, Аэрофлот... Денис, подтверди! Пирской там нет!

— Да, это так, — вздохнула Глафира. — Значит, она отправилась в Москву на машине. На машине своего отчаянного друга.

— Послушайте, мы столько времени потратили на поиски Пирской и не нашли ни одной зацепки. Но ведь кто-то же ей помогал! А что, если это все-таки ее тетя? Она была для нее самым близким человеком. Может, она и помогла ей организовать побег, и она молчала бы все это время, ни в чем не признаваясь, даже частично, как это случилось, если бы не узнала, что Пирскому принесли ее отрубленный палец! С пальца-то все и началось! — сказал Денис.

— Все возможно, так вот и действуйте! Поезжайте снова к Ирене, поговорите с ней, успокойте ее душу рассказом о том, что деньги Пирского нашлись, что Клецы, воспользовавшись ситуацией, решили нагреть свои лапы на беде Пирского... И что Лена, слава богу, никакого отношения к этим похищенным деньгам не имеет... Хотя она и так была уверена в том, что Лена не способна на такую низость — красть деньги у собственного отца. Кстати говоря... Уф, совсем разбудили меня. Вернемся к транспорту и спискам пассажиров. Что-то подсказывает мне, что они не могли отправиться на машине. Далековато! Итак, списки пассажиров. Я понимаю, там тысячи и тысячи пассажиров, и на ЖД, и самолеты... А что, если, к примеру, Лена воспользовалась паспортом своей тети, чтобы ее не обнаружили? Она же понимала, что ее будут искать, понимала, что полиция первым делом займется именно этими списками...

— Лиза, вот хоть убей меня, я все равно не понимаю, к чему такая конспирация, — сказала Глафира. — Подумаешь, сбежала из дома! Она же потом позвонила... Может, она воспользовалась чужим паспортом?

— А что, запросто! Ей могла помочь ее же тетя или же кто-нибудь другой из ее окружения? Друзья, подруги, родственники, соседи...

— Я поняла твою мысль, Денис, — сказала Лиза. — Хочешь сказать, что в списках нам надо поискать хотя бы одну знакомую фамилию, фигурировавшую в нашем деле?

— Ну да... — неуверенно проговорил Денис. — Вы это серьезно, Елизавета Сергеевна, или подкалываете меня?...

— Конечно, серьезно! Вот ты с самого утра этим и займись. Сиди себе в конторе, чай пей и просматривай списки. Но только очень тщательно! Сначала...

— Елизавета Сергеевна! Сначала я, конечно же, составлю свой список...

— Каленову туда тоже включишь? — поинтересовалась со смехом Глафира.

— Между прочим, очень хорошая девушка. И не думаю, чтобы она...

— Денис, ты не знаешь, на что способны верные подруги... Ее тоже включи в список, — сказала Лиза. — А вот и поселок, Волга! Какая красота... Сады на закате такие красивые, а воздух, воздух... Дайте-ка я открою окна... Глаша, ты на самом деле живешь в настоящем раю! Ты позволишь мне у тебя переночевать?

— Лиза, это даже не обсуждается! У тебя в нашем доме есть своя комната, ты что, забыла? А Дениса я уложу в комнате Нади...

— Я не хочу в женской комнате! Хочу в мужской! — захныкал, шутя, Денис.

— Значит, постелю тебе в Димином кабинете или в гостиной на диване. Или к мальчикам, у них диван свободный!

Подъехали к воротам. Щелчок пульта, и ворота раздвинулись, машина въехала в ярко освещенный, цветущий дворик. На крыльце дома их уже встречала вся семья Глафиры: Дмитрий и двое мальчишек — Арсений и Петя.

— Вот вырасту, разбогатею и куплю себе такой же дом, — размечтался Денис, высовываясь из окна. — Какая красота! Сейчас попрошу твоих мальчишек сводить меня на пляж, на Волгу... Искупаюсь, смою с себя всю нервозность, усталость...

— Вода еще очень холодная, — сказала Глафира. — Предлагаю теплый душ и ужин!

24

— Что ты сказал? Повтори!

Лиза поднялась из-за письменного стола, за которым целое утро работала над новым делом, которое появилось после ночного звонка одного из самых влиятельных людей города, и подошла к Денису.

Глаша как раз в это время ставила ему на стол уже третью чашку кофе. Все утро в конторе было очень тихо: шла тяжелая, кропотливая работа с документами. Глафира успела составить три ходатайства в суд, черновик искового заявления по просьбе бесплатной клиентки-пенсионерки (что являлось ее учебной практикой под руководством Лизы), работала над жалобой на неправомерные действия судьи... В перерыве между работой она делала чай, варила кофе, жарила гренки и мыла чашки.

— Денис, я не ослышалась? Ты сказал — Брушко? — переспросила Лиза.

Денис ткнул пальцем в экран монитора:

— Вот, смотрите сами! Пятое мая, два авиабилета на рейс 776, 15.30, Саратов—Москва. Два места по соседству занимают Брушко Матвей Григорьевич и Брушко Елена Михайловна.

— Денис, но этого не может быть! — Лиза склонилась над монитором, где Денис выделил оранжевым цветом две полоски с нужной информацией в списке пассажиров. — Брушко! Это просто невероятно!!! Так, подожди... Мне надо это осмыслить... Нашего Брушко зовут Григорием, значит, этот человек, Матвей Григорьевич Брушко... Постой, какого он года рождения?

— Девяносто четвертого. Ему сейчас ровно двадцать лет!

— Молодой... — сказала Глафира, сразу сообразившая, что речь идет о возлюбленном Лены Пирской. — А она, эта Брушко Елена Михайловна, случайно не девяносто седьмого?

— Точно! — Лиза заметалась по комнате. — Что все это значит? Это родственник Брушко? Или просто однофамилец?

— Елизавета Сергеевна, вот лично я в такие совпадения не верю. Смотрите сами. Первое: вылет пятого мая, как раз в день исчезновения Лены. Второе: отчество и возраст Брушко Елены Михайловны совпадают с данными нашей Елены Михайловны Пирской. Третье: отчество этого парня, Матвея, подходит к имени нашего Григория

Анна Данилова

Брушко. Матвей Григорьевич Брушко! И пятое: сама фамилия Брушко в нашем деле не случайна! Это фамилия человека, который близко знаком с родной тетей Лены Пирской. Они все — заговорщики!!!

— Значит, так! — Лиза вернулась за свой стол. — Слушайте меня внимательно. Да, я согласна, совпадений слишком много. Однако мы должны все проверить.

— Да Матвей — сын Брушко! — сказал Денис. — Это ясно как божий день!

— Но я же разговаривала с женой Брушко, Марией, у них дома. Это было как раз после того, как я увидела этот странный гроб в «Ивовом доме»... Мы о многом говорили, я задавала ей вопросы, она отвечала. Так вот, я ее за язык не тянула, она сама сказала мне, что, к сожалению, у них с Гришей детей нет. И что если бы были, то и она в случае пропажи ребенка хваталась бы за любую возможность найти его.

— Да, у них детей нет, но у него, у самого Григория, мог быть сын... И кто знает, может, этот сын его и Ирены?

— Помнится, я еще спросила Марию, могут ли у Григория быть тайны от нее. Понимаю, глупый вопрос. Вот она и ответила соответственно, мол, какие же это были бы тайны, если бы она о них знала. Из нашего с ней разговора я лично поняла, что она очень любит своего мужа. Дорожит их отношениями и не допускает и мысли об измене.

— Глаша, мы все равно должны наведаться к ней и поговорить. Ты с ней знакома, думаю, будет правильным, если ты поедешь к ней, покажешь ей список с фамилиями пассажиров московского рейса и задашь ей вопрос о ребенке Григория.

— Представляешь, каким ударом это для нее станет... Как же часто такое встречается: жена бесплодна, и муж заводит ребенка на стороне... Хорошо, я поеду.

— А кто поедет в Вязовку? К Григорию? К Ирене? Вы, Елизавета Сергеевна?

— Нет, Денис. Туда поедешь ты. Причем немедленно! А я поеду к Пирскому, поговорю с ним. Постараюсь выяснить, что связывает или могло связывать Пирских с семьей Брушко. Не замечал ли он, что у Ирены была связь с Григорием, с соседом в Вязовке... Слышал ли он когда-нибудь о Матвее. Словом, у меня есть к нему вопросы. И еще: Денис, найди мне адрес районной поликлиники, к которой прикреплена Мария Брушко...

— Хочешь узнать, рожала она или нет?

— А без этого как? Я же чувствую, что они все что-то скрывают... Но сначала я позвоню Пирскому, заодно и узнаю, может, Ирена у него. Тогда мы все переиграем.

Она позвонила:

— Здравствуйте, Михаил... Нет, пока новостей нет... Но мы работаем. У меня вопрос: вы не знаете, Ирена у себя в Вязовке? Или у вас?.. Куда?! Вот это неожиданность... Да нет, ничего... И когда она вернется? Не знаете... А с чем связана ее поездка?

Или с кем? По делам. А... Понятно, на выставку цветов. Ясно. Я понимаю вас, вы переживаете... Но главное, что она вам позвонила. Успокоилась? Еще бы! Она с вами? Ах, извините, как неловко получилось. Да?! Совсем вместе? Что ж, рада за вас. Уверяю вас, Лена скоро найдется. Кажется, мы напали на ее след... Всего хорошего!

Лиза закончила разговор. Видно было, что он ее сильно разочаровал.

— Знаете, вот терпеть не могу оправдываться, что-то объяснять! Я понимаю его, он заплатил нам хорошие деньги и ему нужен результат, но я же не волшебница, я не могу хлопнуть в ладоши, чтобы его взбалмошная дочурка возникла ниоткуда... К тому же девочка она далеко не простая и так обставила свой побег, так к нему подготовилась, что практически нигде не наследила! Вот с чего бы ей так скрываться от родителей? Сменила фамилию? Вероятно, тайно ото всех вышла замуж! А что еще?

— Лиза, что он сказал?

— Ирена поехала в Москву, на выставку цветов. Неожиданно.

— Тоже в Москву, — заметил Денис и, вернувшись к компьютеру, принялся щелкать пальцами по клавиатуре.

— Хочешь узнать, с кем она туда отправилась?

— Ситуация становится очень странной... — пробормотал, не сводя глаз с экрана, Денис. — Ну, точно Ирена замешана во всей этой истории. Выходит, я совершенно не разбираюсь в людях. Мне она показалась такой порядочной, а выходит, талантливо врала мне! Вернее, нам с Наташей. Так, есть!!!

Он вскочил и заметался по комнате, точно так же, как это недавно делала Лиза. Он сжал кулаки и напряг мускулы на руках, словно подкрепляя свою радость и ликование.

— Есть, есть! Она едет в одном купе с Григорием Яковлевичем Брушко!!! Действительно в Москву! На фирменном поезде Саратов—Москва!

— Что же это получается? Две недели тому назад в Москву улетели Елена и Матвей Брушко, а сегодня — Ирена Пирская с Григорием Брушко.

— А Мария? Его жена? Значит, они все-таки любовники — Ирена с Григорием? Ее-то в списке пассажиров нет!

— Глаша, нельзя делать такие выводы, исходя лишь из железнодорожных билетов. Вот если бы в этом деле не засветились другие Брушко, тогда можно было бы предположить, — сказала Лиза. — А так... Все гораздо сложнее... К тому же ты сама говорила, что «жучки» обнаружили, значит, тайна у Григория с женой общая, семейная...

В дверь адвокатской конторы позвонили. Лиза застонала:

— Это ко мне, от Малышева... Это дело, которым я сейчас занимаюсь... Как же не вовремя!

Денис открыл, и все замерли, онемели от удивления. На пороге стояла Мария Брушко.

— Здравствуйте, — сказала она, оглядывая присутствующих. На этот раз она выглядела совершенно спокойной, даже умиротворенной. Улыбка освещала ее круглое румяное лицо. Солнце играло в рыжих, блестящих волосах. — Мне бы поговорить...

25

Ирена с Григорием сидели в купе, Ирена нервничала, посматривая на проходящих мимо них вдоль коридора пассажиров.

— Знаете, всегда волнуюсь перед тем, как поезд тронется, ведь неизвестно, какие будут попутчики. А люди бывают разные. Однажды с мужской компанией ехала, они всю ночь пили, играли в карты, а я тряслась от страха. Один раз меня просто обокрали, пока я спала, вынули из-под головы сумочку с деньгами и документами... Да и вообще, историй с плохим концом не так уж и мало...

— Вы не нервничайте, Ирена, к нам сюда никто не войдет...

— Откуда вам это известно?

— Да потому, что я выкупил все места, чтобы нам никто не мешал. — С этими словами Григорий встал и захлопнул дверь купе.

— Да? Какой вы предусмотрительный... А что так?

— Чтобы нам с вами никто не мешал, Ирена.

Ирена Пирская до вчерашнего вечера и не знала, что поедет в Москву, да еще в компании своего друга Григория. Все произошло неожиданно и очень быстро.

Примерно в половине девятого вечера, когда она, уставшая после работы в саду, приняв душ, прилегла отдохнуть, в дверь позвонили. Она выглянула во двор и увидела за калиткой Григория.

— Не спите?

Она всегда радовалась его приходу, потому что знала: он человек серьезный, увлеченный и уж если пришел, то наверняка с какими-нибудь цветами, семенами, корешками, горшочками, рассадой, словом, с каким-нибудь садовым подарком. Кроме того, ей было приятно, что она встретила человека глубоко порядочного, влюбленного в свою жену, у которого и в мыслях нет поухаживать за ней, Иреной. Она любила сильных, цельных людей, для которых такие понятия, как верность и честь, были нормой жизни. Пожалуй, Григорий был единственным мужчиной, с которым она чувствовала себя в полной безопасности и с которым ей было легко. Кроме брата Михаила, конечно. Остальные мужчины, встречавшиеся на ее пути, часто разочаровывали ее, она считала их глупыми, самодовольными, самоуверенными и нахальными. Любовник, женатый мужчина, который жил с семьей в городе, так и остался на долгие годы ее любовником, не став мужем, поскольку женатый любовник— чужой мужчина.

— Проходите, Гриша! Очень рада вас видеть!

Быть может, она была чрезмерно любезна с ним, но это лишь оттого, что чувствовала свою вину за тот визит в компании людей Травиной. Но ситуация сложилась таким образом, что она просто не могла им отказать, ведь отказ вызвал бы у них подозрение. А ей хотелось дать им понять, что Григорий — порядочный человек, которому нечего скрывать от людей. Его реакция на визит незваных гостей, к счастью, превзошла все ее ожидания. И экскурсия по «Ивовому дому», как ей показалось, развеяла все их сомнения относительно Григория.

И хотя все закончилось более-менее прилично и Григорий никак, даже взглядом, не выказал ей свою досаду из-за этого визита и ее участия в нем, она переживала, что после этого он просто не захочет ее видеть.

И вдруг он пришел. Сам! Ей очень хотелось надеяться, что причина его позднего визита кроется не в желании положить конец их дружбе.

— Надеюсь, ничего не случилось? — спросила она, с трудом скрывая волнение.

— Нет-нет, все в порядке! Ирена, вы, наверное, думаете, что я сержусь на вас за то, что вы привели ко мне этих гостей... Успокойтесь, все нормально. Я же понимаю, они просто делали свою работу. К тому же я уверен, что местные жители подогрели их интерес к моей персоне и дому... Сами знаете, у них богатая фантазия!

— Господи, что же вы стоите за забором! Проходите, пожалуйста. Сейчас будем пить чай.

Она быстро переоделась в домашнее платье, закуталась в шаль, вышла во двор и впустила Григория.

— Пойдемте в дом, а то что-то прохладно... Вы ужинали? А то у меня есть вареники с картошкой!

— Нет-нет, я сыт.

Она усадила его возле окна, в кухне, заварила свежий чай со смородиновыми листьями, подогрела вареники в надежде, что гость все-таки передумает и поест.

— Ирена, у меня к вам очень серьезный разговор.

— Хорошо, слушаю.

— Речь пойдет о вашей племяннице, Лене.

Плечи ее опустились, она замерла.

— Неожиданно... Вы знаете, где она?

— Знаю. Когда вы узнаете все, то, думаю, простите мне долгое молчание. Знаю, как вы все переживали, как подозревали меня бог знает в каких делах...

— Где Лена? Какое отношение вы имеете к ее исчезновению?

— Самое прямое. Скажу сразу: с ней все в порядке. В полном порядке. Но я расскажу вам эту историю с одним условием.

— Гриша, пожалуйста, не пугайте меня!

— Вы должны мне пообещать, что никому до поры до времени не расскажете о том, что я вам только что сказал. И второе: мы завтра вместе с вами поедем к ней. И по дороге, когда нам никто не будет мешать, я вам все подробно объясню.

— Какая дорога? Куда мы с вами поедем?

— Не переживайте. В Москву. Я сегодня же по Интернету закажу для нас билеты на утренний поезд, и мы поедем. Вы согласны?

— Разумеется! — Она и сама не могла понять, почему сразу же, не сомневаясь, доверилась ему.

— Так вы обещаете мне, что никому ничего не расскажете? Пока?

— Хорошо. Обещаю.

— Тогда все. Будем считать, что мы договорились.

И вот они в поезде, в купе. Купе, которое он выкупил, чтобы они были в нем одни. Через минуту-другую поезд тронется.

— Ваша жена знает, где вы?

— Знает. Больше того, сейчас, я думаю, она уже в адвокатской конторе Лизы Травиной. Произошло то, что и должно было случиться.

— Гриша, не пугайте меня, у меня и так зуб на зуб не попадает. Я вся на нервах!

— А вы успокойтесь. Главное, что с вашей племянницей, повторяю, все хорошо.

Поезд тронулся.

Григорий достал из кармана фляжку.

— Здесь виски, хотите? — и протянул ей.

— Да, очень хочу. — Ирена дрожащей рукой схватила фляжку и сделала несколько глотков.

— Эта история началась двадцать лет тому назад, — начал рассказывать Григорий. — У меня есть сестра, ее зовут Маргарита. Она знала, что я лишился работы, — мою должность сократили, и мы с Машей просто бедствовали, пока она не устроилась в один дом кухаркой, ну, или домработницей, и это при том, что я, геофизик, работал долгое время в лаборатории при институте и у меня, по моему мнению, были неплохие перспективы в плане карьеры... Словом, Марго, зная, как нам нужны деньги и что я готов на любую работу, лишь бы платили, сказала, что может помочь мне.

В больнице, где она лежала с аппендицитом, она познакомилась с одной женщиной, которой очень был нужен такой человек, как я: серьезный, физически сильный и не болтун. Ее зовут Инга Туманова.

— Инга Туманова? Журналистка, у нее свое шоу на телевидении. У нее и у ее мужа, Нечаева, «Открой глаза» и «Скелет в шкафу»!

— Да-да, все верно. Так вот, Инга очень любила своего мужа. Пока еще был жив ее отец, очень богатый человек, она сделала все, чтобы тот помог Нечаеву — дал денег, так сказать, стартовый капитал, который помог ему устроиться на телевидении, подмазать кого надо, арендовать аппаратуру, нанять людей, построить новую студию в заброшенном крыле одного здания в нашем телецентре... В то время он занимался политикой, поддерживал губернатора, снимал предвыборные ролики, устраивал прямые эфиры... Его карьера быстро развивалась!

Здесь надо сделать небольшое отступление. Дело в том, что в семье Нечаевых существует поверье, что беременная женщина должна сидеть дома безвылазно, чтобы ее не сглазили.

— Постойте... Как это — безвылазно? То есть все девять месяцев сидеть дома?

— Ну да! И что будто бы дед или прадед этого Нечаева родился настоящим уродом после того, как его мать, прогуливаясь по базару, увидела какую-то черную цыганку, которая ее и сглазила, навела порчу!

Когда Инга забеременела и Нечаев рассказал ей этот случай с дедом и начал показывать фотографии урода, она взбунтовалась, сказала, что это полный бред, что беременная женщина должна двигаться, бывать на свежем воздухе, что она не должна сидеть дома, как в тюрьме. Что это самое настоящее мракобесие! Надо учесть, что в то время был жив ее отец, и он всегда и во всем поддерживал свою единственную и обожаемую дочь. И он занял ее сторону и даже увез к себе на дачу, потом они вместе с отцом поехали на море... Инга чувствовала себя очень хорошо, все было замечательно. Но ближе к родам она стала мнительной, подолгу разглядывала снимки с дедом-уродом, словом, у нее начался психоз, как это бывает у беременных ближе к родам.

— Да она элементарно боялась родов! — сказала Ирена. — Это нормально, это случается у многих женщин.

— Однажды отец приехал за ней, чтобы отвезти к себе на дачу. Там поспела ягода, Инга собиралась варить варенье. Нечаев весь трясся от возмущения и злости, когда видел, какое влияние отец имеет на Ингу. Он ненавидел его, но боялся устроить скандал, потому что понимал: после этого он может потерять и Ингу, и деньги, которые она получала от отца. К тому же у отца были связи, и он помогал Нечаеву в решении многих вопросов, связанных с его профессиональной деятельностью.

Предполагаю, что на даче с Ингой случилось несчастье. Подробностей я не знаю. Возможно, она упала или просто сильно понервничала... Начались преждевременные роды, отец отвез ее в деревенскую больницу, где она родила мальчика...

— Неужели уродца? — прошептала Ирена, прикрывая ладонью рот.

— Ребенок родился с большими отклонениями, можно сказать, что уродец. Врожденный сколиоз позвоночника, сопровождающийся страшными и постоянными болями из-за ущемления нервов... Проблемы с дыханием, кровообращением... Ребенок был обречен! Представьте себе, что испытывала Инга, понимая, как отнесется к этому ее муж! Ведь он превратил бы всю ее жизнь в настоящий ад, свалив вину за больного ребенка только на нее и ее отца.

Отказаться от ребенка означало подписывать необходимые документы, а поскольку Нечаева знал уже весь город, он сделал себе имя на губернаторских выборах, да и вообще его знали как безжалостного, острого на язык журналиста, специализирующегося на разоблачениях разного рода... Словом, можно было предугадать, что будет, если произойдет утечка информации и в городе узнают, что у Нечаевых родился уродец!

Тогда отец Инги, Туманов, принял решение скрыть этот факт и сказать Нечаеву, что ребенок умер при родах. Он заплатил акушерке, которая принимала роды у Инги, чтобы та зафиксировала смерть новорожденного. При этом он, понимая, что малыш уже не жилец, что ему осталось жить совсем мало, решил скрыть его ото всех, однако не брать грех на душу и не избавляться от него. Он нанял женщину-кормилицу в деревне, которая тоже за деньги обещала молчать, и малыша кормили примерно месяц. Он, к счастью, не умирал, постепенно у него пришли в норму легкие, появился хороший аппетит, утихли боли.

Инга в это время приходила в себя после родов дома. Одно дело — показать мужу, человеку, предупреждавшему ее о сглазе и порче, новорожденного ребенка-уродца, другое — сообщить ему о смерти чудесного малыша.

К счастью, Нечаев отреагировал на смерть ребенка не как страшно, как Инга предполагала, и причина этого, по ее мнению, заключалась в том, что у него как раз в это время было много проблем с руководством канала... И ему очень требовалась поддержка Туманова. К тому же он наверняка представлял, как изменится их жизнь после рождения ребенка: плач по ночам, детские болезни, няня — чужой человек в доме, хлопоты, суета, беспорядок... А тут — дома тихо, жена, чувствующая свою вину за смерть ребенка, уязвима, и с ней можно делать все, что угодно. Тесть, готовый загладить свою вину перед зятем, тоже готов выложить любую сумму, лишь бы в семье дочери был покой... То есть скандала как такового не было, но всем было ясно, что Нечаев ждет от жены с тестем какого-то поступка, решения... Как раз в это самое время он разродился новым проектом «Скелет в шкафу». Авторская программа. Новая, дерзкая, оригинальная, интересная, обещающая высокие рейтинги. Как тут было ему не помочь?

И Туманов помог. Нечаев увлекся работой, просто провалился в нее... Инга же, придя в себя, восстановившись физически и психически, тоже решила с помощью отца заняться своей карьерой и придумала шоу «Открой глаза». Если Нечаев приглашал в свою студию преимущественно политических деятелей, чиновников, бизнесменов или просто известных людей, поначалу весьма тактично раскрывая какие-то их тайны, способствующие в дальнейшем их росту, то Инга приглашала в качестве гостей своей программы простых людей с их проблемами, которые можно было решить после того, как в жизнь героев вмешается кто-то, кто посмотрит на эту проблему другим взглядом, другими глазами... «Открой глаза, и ты увидишь, что все решаемо, что жизнь удивительна и прекрасна, пока в ней встречаются такие люди...»

— А ребенок? Что стало с ним?

— Его продолжали скрывать. Однажды Ингу увезли из студии в больницу — перитонит. Ей сделали операцию. Она-то и лежала как раз в одной палате с моей сестрой, Марго. Они подружились. Надо сказать, что Маргарита — прекрасный человек, и когда Инга в порыве чувств доверилась ей, рассказав о своем горе, о больном ребенке, который не умирает, а продолжает жить, и она не знает, что с ним делать, как ей поступить, сестра предложила найти человека, который ухаживал бы за ним, воспитывал где-нибудь подальше от города. И подумала обо мне.

Инга сказала, что готова платить этому человеку хорошие деньги, если он все это будет хранить

Анна Данилова

в секрете. Тем более что ребенок все-таки очень болен, что он долго не протянет...

Маргарита сказала, что такой человек есть, и уверила ее, что ему, то есть мне, можно полностью доверять.

Надо было все тщательно продумать, куда нас с мальчиком поселить. Понятное дело, что за организацию этого дела взялся отец Инги, Аркадий Ильич.

— Боже, какая невероятная история! — воскликнула Ирена.

В это время в дверь постучали, и проводница попросила их предъявить свои билеты.

— Принесите чаю, пожалуйста, — попросила Ирена. — С лимоном.

Проводница принесла чай. Ирена, устроившись удобнее на своем диванчике, обняла горячий стакан ладонями и приготовилась слушать дальше.

— Аркадий Ильич купил дом, примыкающий к даче Нечаевых в Вязовке (оформив его на всякий случай на своего дальнего родственника, некоего Смушкина), предполагая, что Инга будет навещать своего малыша. Чтобы ее частые поездки не вызвали вопросов у мужа, она говорила бы ему, что едет к себе на дачу. Вот так все просто и удобно. И за эту простоту и удобство Туманов заплатил двойную цену дома!

— «Ивового дома»?

— Да, конечно. Я приехал туда, осмотрел дом. Понятное дело, что я имел самое смутное представление о том, чем мне придется заниматься.

Знал только, что должен присматривать за ново-
рожденным ребенком Инги Тумановой. Для начала я подремонтировал дом, в особенности крышу,
которая протекала. Заменил отопление, провел
трубы по всему дому. Ту часть, где должен был
находиться ребенок, я отделал звуконепроницае-
мыми панелями, чтобы местные жители не знали
о существовании ребенка. Накупил необходимой
литературы по уходу за новорожденными, разные
смеси, сухое молоко, пеленки, одежду... Все это
могло бы выглядеть как-то несерьезно, если бы не
те деньги, которые мне привозил Туманов, пока
я готовился к встрече с малышом. Я не знал, чем
именно болен ребенок, знал только о проблемах
с позвоночником.

И вот настал день, когда они приехали. Все. Аркадий Ильич, Инга и моя сестра Марго. Туманов
держал на руках сверток. Он внес малыша в спальню, где я все подготовил, мы развернули его, и я
увидел крохотное существо с непропорциональ-
ными лицом, ручками и ножками, чуть потолще
паучьих, и... горб! Это был маленький горбун,
возможно, точная копия нечаевского деда. Умом
я понимал, что дело не в деде и не в наследствен-
ности. Что кто-то сверху решил послать этой семье
такого ребенка, словно в насмешку...

— Григорий, что вы такое говорите!

— А что еще мне могло прийти в голову? Вы
себе не представляете, Ирена, что я испытал, глядя на этого ребенка! Неимоверную, невероятную,
просто нереальную жалость!!! Получалось, что этот

малыш никому не нужен и все ждут его смерти! И пока он не умрет, никто из них не успокоится.

Ясное дело, что Аркадий Ильич большие надежды возлагал на свою дочь, считал, что она каждую свободную минуту будет проводить в Вязовке, что она не оставит своего сына. Но судьба распорядилась, что называется, иначе. Поначалу Инга действительно приезжала, но в детскую не заходила, а только интересовалась здоровьем малыша. Но я-то был приставлен к нему не для того, чтобы наблюдать, как он, бедняжка, умирает! Мы с Марго его выхаживали. Сколько бессонных ночей мы провели возле его кроватки! Марго привезла своего друга, доктора Желткова, первоклассного хирурга и очень хорошего человека. Мне вообще повезло на хороших людей. За исключением, конечно, Инги, у которой так и не проснулся материнский инстинкт. Шли месяцы. Аркадий Ильич переживал, что ребенок нигде не зарегистрирован, что его официально как бы и нет! И вот однажды он приехал ко мне и сказал, что хочет серьезно поговорить. И знаете, что он мне предложил?

— Усыновить малыша?

— Именно! Моя жена, Маша, была, конечно, в курсе всего происходящего. И это она должна была выступить в роли матери Матвея.

— Матвей? Вы его так назвали?

— Да. Понимаете, мальчик был таким хилым, болезненным, что мне захотелось дать ему такое мужественное, сильное, что ли, имя. Туманов помог нам зарегистрировать его с соблюдением всех формальностей. Вот так мы с Машей и стали родителями для Матвея.

— Вы говорите, что у вас от Маши нет секретов... Получается, что она — просто грандиозная женщина! Герой!

— Да, это так, да только мне пришлось обманывать ее в течение всех этих двадцати лет в другом!

— Значит, он жив... Боже мой, смотрите, я вся в мурашках! Просто какая-то невероятная история! Постойте, но в чем же заключался ваш обман?

— Когда моя сестра Марго лежала в больнице с Ингой, они о многом говорили. Инга искала помощницу по хозяйству. Ну и моя Маргарита посоветовала ей Машу. Это случилось незадолго до того, как меня познакомили с Ингой. Так Маша стала работать у Инги, даже не подозревая, что малыш, которого я лечил, кормил и воспитывал, заменяя ему мать и отца, является ребенком ее хозяйки. Мне же платили деньги за то, чтобы я сохранил в тайне имя матери несчастного ребенка. Я назвал Ингу для удобства Илоной, и моей Маше и в голову не могло прийти, что она варит щи и жарит котлеты родной матери Матвея. Сколько проклятий и недобрых слов я услышал от Маши в адрес матери Матвея и в такие минуты был рад, что она не знает, кто же его настоящая мать. Иначе, я думаю, моя эмоциональная жена не вытерпела и невольно упрекнула бы Ингу. Инга тоже, ясное дело, не подозревала, что мужем ее домработницы является воспитатель ее больного сына.

Аркадий Ильич, светлая ему память, обеспечил своего внука на долгие годы, открыв в банке счета на мое имя.

— Но это невероятно! Он так доверился вам!

— Я думаю, что он вполне осознанно откупился от своего внука, понимаете? Все их семейство, за исключением Нечаева, который ни о чем не догадывался, готово было платить деньги, лишь бы никто не узнал о существовании малыша...

С одной стороны, Туманов очень любил свою дочь, с другой — ему было мучительно больно, что она оказалась таким жестоким и слабым человеком. И причина всего этого ада, кошмара, в котором она, я думаю, жила, была ее слепая любовь к мужу. А еще — страх разоблачения. Может, она была никакая мать, но все свои женские инстинкты, думаю, что и материнский тоже, она направила на своего обожаемого мужа. Туманов понимал: если правда вскроется и ребенок, маленький горбун, явится свету, если о нем узнают журналисты, особенно из вражеского стана, то его карьере придет конец. С каждым годом это становилось все очевиднее. Инга сама рассказывала мне об этом. Она страдала, но эти страдания и правду, реальную, с изуверскими методами, с которыми мы скрывали мальчика, она отстраняла, отодвигала от себя, все больше и больше отдаляясь от Вязовки. Она и на дачу редко приезжала, потому что знала, что в нескольких метрах от нее, в запертом доме, растет и развивается ее малыш, ее сын, ее боль, ее беда, ее унижение, ее кара.

— Но почему она не рассказала мужу с самого начала о рождении мальчика? Ну, повозмущался бы он, но потом успокоился, и ребенок остался бы в семье...

— Вы не знаете этих людей, Ирена, для них общественное мнение очень много значит. Особенно для журналистов, которые всегда на виду.

— Да бросьте, Гриша, думаете, я не понимаю, как все было на самом деле? Не каждая мать хотела бы всю свою жизнь посвятить уходу за больным ребенком. А тут такая прекрасная «отмазка» — общественное мнение. Да она просто бросила своего больного ребенка, и все. И, как вы правильно заметили, она надеялась на его скорую смерть. Но ей, в кавычках, конечно, не повезло — мальчик выжил. И все это лишь благодаря вам, вашему чувству ответственности, терпению, вашей порядочности, наконец. Будь на вашем месте человек, нечистый на руку, он прибрал бы денежки Туманова себе, а ребенка бы уморил.

— Деньги... Да, конечно, уход и внимание много значили для Матвея. Но без денег, которые оставил нам его дед, мы бы мало что сделали. Говорю же, этими деньгами он как бы пытался загладить свою вину.

— Что с ним стало? Как сложилась его судьба?

— Во-первых, я поддерживал его здоровье самыми новейшими препаратами, а потом, когда ему исполнилось тринадцать лет, мы отвезли его в Москву, к одному специалисту, который взялся поправить ему позвоночник. Вы представить себе не можете, через что нам пришлось пройти! Это была новейшая методика, и мы, конечно, рисковали.

— Мы? Это кто?

— Здоровьем Матвея занимался, как я уже говорил, доктор Желтков. Это он нашел хирурга — его фамилия Соболев, и это он убедил меня сделать мальчику операцию, суть которой сводилась к тому, чтобы срезать выпуклую часть деформированных позвонков, по сути, срезать горб, при этом ломая позвоночник...

— Бедный ребенок!

— В результате этого позвоночник становится подвижным, и появляется возможность поставить его в правильное положение. Затем Соболев каким-то волшебным образом выделил оболочку спинного мозга и спинномозговые корешки, чтобы, не дай бог, не повредить их, и после этого позвоночник укрепили при помощи специальной металлической системы. Это какая-то новейшая американская методика и очень, очень действенная.

— И его мать ничего об этом не знала?

— Нет, никто не знал. Аркадий Ильич к тому времени уже умер, царство ему небесное. Но, бог видит, я не потратил ни единого рубля напрасно. Я сделал для Матвея все! Конечно, после операции ему было очень тяжело. Петр Борисович, когда мы привезли Матвея домой, в Вязовку, ночи не спал, сидя возле его кровати, так переживал, так нервничал. Эти перевязки... На это трудно было смотреть, для такого нужны железные нервы... Кровь, гной, килограммы перевязочных материалов. А сколько уколов мы ему делали от боли! Ирена, но вы не представляете себе, каким светлым человеком рос маленький Матвеюшка! А какие мозги!

— Гриша, боюсь спросить вас, что с ним стало... Это гроб для него?

— Давайте уже все по порядку. Я же обещал вам. Скажу сразу — позвоночник ему поправили, и здоровье его восстановилось. Поскольку его лицо, как я говорил раньше, тоже было... как бы это помягче сказать, с дефектами... Высокие скулы, вмятый нос... Так вот, недавно ему сделали пластическую операцию. Не скажу, чтобы он стал писаным красавцем, нет, но у него получилось очень интересное, оригинальное лицо... Словом, из маленького уродца мы вылепили вполне нормального, даже симпатичного молодого мужчину.

— Образование?

— Безусловно! Моя сестра Маргарита была директором школы, а сын одной из ее приятельниц, Антон, тогда, когда Матвею было всего шесть лет, был студентом университета. Мальчик с энциклопедическими познаниями, большая умница. Так вот он был единственным учителем Матвея. Марго устроила так, что Матвей был на домашнем обучении. Все официально. Матвей прекрасно учился, и очень скоро на его письменном столе появился компьютер, мы провели Интернет... И для мальчика началась совершенно новая жизнь.

— И все эти годы вы его прятали?

— Да, прятали, хотя я предлагал ему покинуть «тюрьму» и пуститься в открытое плавание. Но у него был план. Мы никогда не скрывали от него, кто его родители. Он смотрел по телевизору их шоу, и многое из того, что происходило на экране, возмущало его невероятно, его трясло, когда он видел, какими методами действуют его мать и отец, как разрушают судьбы людей! И тем не менее, даже в душе презирая их, он все еще надеялся на то, что когда-нибудь его мать вспомнит о нем, захочет его хотя бы увидеть. Поэтому ничего не предпринимал...

— А она так и не вспомнила?

— Нет. После смерти Аркадия Ильича она только привозила деньги. На лекарства, на одежду, питание, ну, и мою зарплату.

Сколько раз я пытался уговорить Матвея покинуть Вязовку и поселиться в нормальном месте, в нормальной квартире. Но судьба распорядилась удивительным образом...

Ваша племянница, Лена, гостила у вас в прошлом году. Не знаю, помните ли вы тот день, когда она вернулась домой перепуганная насмерть, с разбитыми коленями...

— Да, я помню. Она сказала, что за ней гналась бешеная собака. На окраине Вязовки бродят целые стаи! Их время от времени отстреливают... И что?

— Лена возвращалась из библиотеки домой и, не доходя до моста, подверглась нападению одной из собак. Она так кричала, так... Она бежала, не разбирая дороги, падала и поднималась вновь...

Пока ее не услышал Матвей. Мы с ним как раз работали в саду. Я зашел в дом, чтобы накрыть стол к обеду, а он оставался в саду один. Услыхав крики Лены, он сделал то, что и должен был сделать: подошел к воротам и открыл их... И Лена, обезумевшая от страха, вбежала к нам. Вот так они и познакомились.

— Она... она испугалась Матвея?

— Не думаю... А может, испугалась. Да только она никогда об этом не говорила. Ее всю колотило от страха. Я вышел из дома на голоса, увидел ее... У меня тоже был шок. Ведь она стала единственным человеком из чужих, кто увидел Матвея.

Мы успокоили девочку, накормили ее обедом. Потом Матвей пригласил ее к себе в комнату, где они провели очень много часов... Всю боль, что накопилась у него, всю душевную боль, как я понимаю, он излил совершенно незнакомой девушке. Лена пообещала хранить все в тайне от вас, ото всех. Так начался их роман.

— А я-то думала, что хорошо знаю Лену... Получается, что мы все были слепы: и я, и ее родители... Какая-то невероятная история! И что было потом?

— Это Лена настояла на пластической операции, которую, кстати говоря, уже оплатил сам Матвей. Он научился зарабатывать деньги в Интернете и в этом переплюнул, что называется, своего учителя, Антона. Он стал полноправным и не зависящим ни от кого гражданином своей страны: Брушко Матвей Григорьевич!

В этом году мы поехали с ним в Москву, где он записался на подготовительные курсы в Московский университет, на факультет журналистики.

— Он хочет быть журналистом, как его родители?!

— Да, представьте себе! И выбор этот осознанный. Он прекрасно знает, кем хочет быть и что делать.

— Знаете, вот вы мне все это рассказываете, а мне все не верится, что ко всей этой истории имеет отношение моя племянница, моя Леночка!

— Ваша племянница — чудесная девочка, очень добрый человек, и главное — она очень любит Матвея. А он — ее.

— Так где она сейчас? Вместе с ним, в Москве?

— Да, они сняли квартиру и теперь поджидают нас с вами...

— Григорий, я ничего не понимаю... Она сбежала с Матвеем, это понятно, но зачем все это было делать с такими предосторожностями?

— Все дело в Матвее. Он очень хотел, чтобы до поры до времени о его существовании никто не узнал. И чтобы узнали все, причем одновременно, и чтобы была реакция всего общества, вы понимаете, о чем я?

— Кажется, да... Он хочет рассказать свою историю журналистам?

— Не просто журналистам. Он нашел способ встретиться с самим Валерием Журавлевым, ведущим программы «Хлеба и зрелищ», и рассказал свою историю. И завтра в полдень будет запись программы, куда приглашены Инга Туманова и ее муж Александр Нечаев.

— И они, понятное дело, не догадываются, что их ждет... Но как же их туда заманили?

— Примерно таким же способом, как и они сами заманивали на свои программы ничего не подозревающих, живущих мирной жизнью людей. Им пообещали, что купят их шоу, пригласят их работать в «Останкино»...

— У нее же, у Инги, сердце разорвется, когда она увидит своего сына, когда услышит все это... Постойте, но вы же сами сказали, что Матвей надеялся, что мать все-таки вспомнит о нем...

— Знаете, он любил ее, несмотря ни на что, все программы ее смотрел, и я видел, как он плачет... А потом случилось то, чего ни я, ни Матвей не могли даже представить...

Однажды утром Матвей пришел ко мне в комнату. Я еще спал, было раннее утро... Он сказал мне, что готов встретиться с матерью. И что даже готов простить ее. Что он уверен в том, что она не то что будет его стыдиться, наоборот, она будет им гордиться! И отец тоже! В его душе произошел перелом, он понял, что для того, чтобы почувствовать себя по-настоящему счастливым и сильным, ему не хватает одного — материнской любви. В тот момент сердце его было открыто для родителей! Он был готов, повторяю, простить их за все! Но с одним условием: я должен был сообщить Инге о его смерти.

— Боже! Зачем?!

— Он хотел знать, доставит ли это известие ей боль, любила ли она его все эти годы. То, что смалодушничала и даже не пыталась его увидеть, — это одно... Но вот его не стало. Что она испытает — боль или облегчение?

Мне было его заранее жаль. Я-то знал, что она за человек. Я попытался его отговорить от этого эксперимента, но он уперся. Никогда еще я не видел, чтобы он так переживал...

— Какой кошмар! И что было дальше?

— Я поставил свой телефон на громкую связь и позвонил Инге. Сказал, что Матвею стало очень плохо, что, вероятно, у него снова боли в спине, что у него судороги, что его нужно срочно отвезти в больницу... И про деньги сказал на врачей, на лекарства, словом, убедил ее в том, что Матвей обречен и что только от нее зависит, сколько он еще протянет...

Матвей сидел весь белый и слушал, что она ответит. А она сказала всего лишь одну фразу: «Хоть бы поскорее закончился этот ад... Потом позвонишь мне...»

— И это все?

— Почти. Потом она перезвонила мне, Матвея уже рядом не было, он рыдал в своей спальне... И это хорошо, что он не слышал, как она просит меня похоронить сына. Как собаку. В саду. И поставить табличку с именем «Марта».

Ирена почувствовала, как у нее начинает кружиться голова. Ей реально стало дурно.

— Так вот для кого был этот гроб... Вы собирались закопать пустой гроб в саду... А мы вам помешали, и вам пришлось его сжечь...

— Да, все так и было... Вот такие дела, — вздохнул Григорий. — В тот день он потерял мать. И это не она похоронила его, а он — ее. Хотя самое главное в этой истории, как вы уже, наверное, поняли, еще впереди. Это шоу, которое Матвей с Леной помогли организовать Журавлеву, откроет глаза на тех, кто считает себя хорошими журналистами, профессионалами в своем деле. Пусть люди увидят и услышат эту историю из уст самих участников. Всех тех людей, которые окружали Матвея все эти годы, кто помогал ему не только выжить, но и стать человеком.

— А Лена... Господи, теперь я понимаю, почему она все хранила в тайне.

— Они продумали все! Все телефоны, ноутбуки, все было зарегистрировано на меня и мою жену. У них была своя система связи... Поскольку Матвей сам себя в шутку называл Квазимодо, то и ник придумал — «Гюго»... Они до последнего все скрывали, боялись, что все сорвется...

Но я не сказал вам главного: они поженились. В апреле. Лена беременна, их расписали, в Москве...

— Невероятно... Честное слово, Григорий, даже и не знаю, как все это осмыслить... Леночка беременна... Это шоу... Значит, вы всех собрали? Доктор Желтков, ваша сестра, Антон? Неужели и они тоже приедут на это шоу?

— Ирена, они едут в соседнем купе и только и ждут, когда я позову их к нам сюда...

— Так зовите же их поскорее!

— Я позову, прямо сейчас. Я знаю, уверен, что они расскажут всю правду. Предполагаю, что Матвей пригласил на эфир и доктора Соболева, того самого, который делал ему операцию на позвоночнике. Вот только я... сам... Не представляю себе, как приду туда и на глазах миллионов зрителей буду рассказывать все это, как буду предавать человека, женщину, Ингу... Ведь она все это сделала ради любви, ради мужчины...

— Она делала это ради себя, Гриша. И вы не должны сомневаться, колебаться... Вы все делаете правильно!

— Я боюсь встретиться с ней глазами, понимаете? Мне кажется, что, когда я увижу ее, такую сияющую, нарядно одетую и ничего не подозревающую... Этот эфир убьет ее!

— Не бойтесь, с ней будет все в порядке. У нее толстая кожа, разве вы этого еще не поняли? Вспомните, что они сделали с Ларисой Тунцовой... Ее уже похоронили, остались дети-сироты... Мало ли таких историй?.. Ну, давайте же, зовите своих друзей! Мне просто не терпится с ними познакомиться!

* * *

Он назвал его имя. Григорий Брушко. Он должен идти. В гримерке его окружали знакомые, родные лица. Все нервничали, были напряжены.

Одна большая семья, где все любили Матвея как сына, брата, мужа. Там же, в студии, он увидит сейчас ее, Ингу...

Он медленно шел по коридору за девушкой, ассистенткой Журавлева, и зрение стало отказывать ему. Все расплывалось перед глазами. Горло словно свело судорогой.

Распахнулась дверь. Словно в ад. Мощный прожектор оставил его на мгновение наедине с самим собой, с его сомнениями, затем перед его мысленным взором пронеслись все эти годы, наполненные страданиями, болью и огромной любовью к мальчику, за которого он готов был отдать жизнь.

— Сынок... — прошептал он, и силы вернулись к нему, мысли стали ясными, все приобрело смысл. — Сынок...

Он бодрым шагом подошел к сидящему на белоснежном студийном диванчике Матвею, одетому с иголочки молодому человеку с бледным одухотворенным лицом, и крепко его обнял:

— Сынок!

Литературно-художественное издание

CRIME & PRIVATE

Данилова Анна Васильевна

ПРИГОВОРЕННЫЙ К ЖИЗНИ

Ответственный редактор *О. Рубис*
Редактор *М. Красавина*
Художественный редактор *В. Щербаков*
Технический редактор *Г. Романова*
Компьютерная верстка *И. Ковалева*
Корректор *О. Степанова*

ООО «Издательство «Эксмо»
123308, Москва, ул. Зорге, д. 1. Тел. 8 (495) 411-68-86, 8 (495) 956-39-21.
Home page: **www.eksmo.ru**   E-mail: **info@eksmo.ru**

Өндіруші: «ЭКСМО» АҚБ Баспасы, 123308, Мәскеу, Ресей, Зорге көшесі, 1 үй.
Тел. 8 (495) 411-68-86, 8 (495) 956-39-21
Home page: www.eksmo.ru   E-mail: info@eksmo.ru.
Тауар белгісі: «Эксмо»
Қазақстан Республикасында дистрибьютор және өнім бойынша
арыз-талаптарды қабылдаушының
өкілі «РДЦ-Алматы» ЖШС, Алматы қ., Домбровский көш., 3«а», литер Б, офис 1.
Тел.: 8 (727) 2 51 59 89,90,91,92, факс: 8 (727) 251 58 12 вн. 107; E-mail: RDC-Almaty@eksmo.kz
Өнімнің жарамдылық мерзімі шектелмеген.
Сертификация туралы ақпарат сайтта: www.eksmo.ru/certification

Сведения о подтверждении соответствия издания согласно
законодательству РФ о техническом регулировании можно
получить по адресу: http://eksmo.ru/certification/

Өндірген мемлекет: Ресей
Сертификация қарастырылмаған

Подписано в печать 20.06.2014. Формат 84x108 ¹/₃₂.
Гарнитура «Ньютон». Печать офсетная. Усл. печ. л. 16,8.
Тираж 3500 экз. Заказ 4157.

Отпечатано с готовых файлов заказчика
в ОАО «Первая Образцовая типография»,
филиал «УЛЬЯНОВСКИЙ ДОМ ПЕЧАТИ»
432980, г. Ульяновск, ул. Гончарова, 14

ISBN 978-5-699-72647-9

Оптовая торговля книгами «Эксмо»:
ООО «ТД «Эксмо». 142700, Московская обл., Ленинский р-н, г. Видное,
Белокаменное ш., д. 1, многоканальный тел. 411-50-74.
E-mail: **reception@eksmo-sale.ru**

По вопросам приобретения книг «Эксмо» зарубежными оптовыми
покупателями обращаться в отдел зарубежных продаж ТД «Эксмо»
E-mail: **international@eksmo-sale.ru**

International Sales: International wholesale customers should contact
Foreign Sales Department of Trading House «Eksmo» for their orders.
international@eksmo-sale.ru

По вопросам заказа книг корпоративным клиентам, в том числе в специальном
оформлении, обращаться по тел. *+7 (495) 411-68-59, доб. 2261, 1257.*
E-mail: **vipzakaz@eksmo.ru**

Оптовая торговля бумажно-беловыми
и канцелярскими товарами для школы и офиса «Канц-Эксмо»:
Компания «Канц-Эксмо»: 142702, Московская обл., Ленинский р-н, г. Видное-2,
Белокаменное ш., д. 1, а/я 5. Тел./факс +7 (495) 745-28-87 (многоканальный).
e-mail: **kanc@eksmo-sale.ru**, сайт: www.**kanc-eksmo.ru**

В Санкт-Петербурге: в магазине «Парк Культуры и Чтения БУКВОЕД», Невский пр-т, д.46.
Тел.: +7(812)601-0-601, www.bookvoed.ru/

Полный ассортимент книг издательства «Эксмо» для оптовых покупателей:
В Санкт-Петербурге: ООО СЗКО, пр-т Обуховской Обороны, д. 84Е.
Тел. (812) 365-46-03/04.
В Нижнем Новгороде: ООО ТД «Эксмо НН», 603094, г. Нижний Новгород,
ул. Карпинского, д. 29, бизнес-парк «Грин Плаза». Тел. (831) 216-15-91 (92, 93, 94).
В Ростове-на-Дону: ООО «РДЦ-Ростов», пр. Стачки, 243А. Тел. (863) 220-19-34.
В Самаре: ООО «РДЦ-Самара», пр-т Кирова, д. 75/1, литера «Е». Тел. (846) 269-66-70.
В Екатеринбурге: ООО «РДЦ-Екатеринбург», ул. Прибалтийская, д. 24а.
Тел. +7 (343) 272-72-01/02/03/04/05/06/07/08.
В Новосибирске: ООО «РДЦ-Новосибирск», Комбинатский пер., д. 3.
Тел. +7 (383) 289-91-42. E-mail: **eksmo-nsk@yandex.ru**
В Киеве: ООО «РДЦ Эксмо-Украина», Московский пр-т, д. 9. Тел./факс: (044) 495-79-80/81.
В Донецке: ул. Артема, д. 160. Тел. +38 (032) 381-81-05.
В Харькове: ул. Гвардейцев Железнодорожников, д. 8. Тел. +38 (057) 724-11-56.
Во Львове: ТП ООО «Эксмо-Запад», ул. Бузкова, д. 2. Тел./факс (032) 245-00-19.
В Симферополе: ООО «Эксмо-Крым», ул. Киевская, д. 153.
Тел./факс (0652) 22-90-03, 54-32-99.
В Казахстане: ТОО «РДЦ-Алматы», ул. Домбровского, д. 3а.
Тел./факс (727) 251-59-90/91. **rdc-almaty@mail.ru**

Полный ассортимент продукции издательства «Эксмо»
можно приобрести в магазинах «Новый книжный» и «Читай-город».
Телефон единой справочной: 8 (800) 444-8-444. Звонок по России бесплатный.

Интернет-магазин ООО «Издательство «Эксмо»
www.fiction.eksmo.ru
Розничная продажа книг с доставкой по всему миру.
Тел.: +7 (495) 745-89-14. E-mail: **imarket@eksmo-sale.ru**

СЕРИЯ ДЛЯ ЛИТЕРАТУРНЫХ ГУРМАНОВ

Артефакт & Детектив – это серия для читателей с тонким вкусом. Загадки истории, роковые предметы искусства, блестящая современная интрига на фоне изысканных декораций старины. Сюжет основан на поисках древнего артефакта. Артефакт – вне времени, и кто знает, утихнут ли страсти по нему в новом столетии?!

В ГЛАВНЫХ РОЛЯХ – БЕСЦЕННЫЕ ПРЕДМЕТЫ ИСКУССТВА!

2011-131